ROUTE NATIONALE

4

L. Briggs | B. Goodman-Stephens | P. Rogers

Je rêve d'un monde sans guerre

Puis je me réveille

Nelson

Thomas Nelson and Sons Ltd
Nelson House Mayfield Road
Walton-on-Thames Surrey
KT12 5PL UK

Nelson Blackie
Wester Cleddens Road
Bishopbriggs
Glasgow
G64 2NZ UK

Thomas Nelson Australia
102 Dodds Street
South Melbourne
Victoria 3205 Australia

Nelson Canada
1120 Birchmount Road
Scarborough Ontario
M1K 5G4 Canada

First published by
Thomas Nelson and Sons Ltd 1995
I(T)P Thomas Nelson is an
International Thomas Publishing
Company
I(T)P is used under licence

ISBN 0-17-439827-1
NPN 9 8 7 6 5 4 3 2 1

Acknowledgements
The authors and publishers would
like to thank the following for
permission to use their material:

France:
Ça m'intéresse Chers clients... p. 41

Mikado Les responsables dans un
collège français pp. 50–51, d'après un
texte © Milan Presse 'Les inconnus du
collège' septembre 1993; Enfants au
travail p. 55, d'après un texte du
même titre © Milan Presse n° 107 août
1992; La corrida: spectacle grandiose
ou jeu cruel? p. 121, d'après un texte
© Milan Presse 'L'art de la corrida'
n° 95 septembre 1991; Villes p. 123,
d'après un texte © Milan Presse 'Villes
de tous les dangers' n° 122 décembre
1993; Histoire d'une invention p. 153,
d'après un texte © Milan Presse 'Le
cinéma, histoire d'une invention'

n° 115; Voyage dans un monde qui
n'existe pas p. 155, d'après un texte
du même titre © Milan Presse n° 96
octobre 1991.

Okapi Que mangent-ils? p. 16, d'après
un texte du même titre © Bayard
Presse 1993; Mon pays le Maroc
p. 37, d'après un texte © Bayard
Presse 'Voyage à Kénitra' texte et
photos: Claude Raison et François
Gorget; L'école sur Minitel p. 69,
d'après un texte © Bayard Presse
'Insolite'; La première bande dessinée
pp. 80–81, d'après un texte © Bayard
Presse 'La Tapisserie de Bayeux'
texte: François Gorget n° 398;
La parole aux champions p. 93,
d'après un texte © Bayard Presse
'Au Grand Prix des champions Adidas
à la Plagne' propos recueillis par
François Gorget n° 438; Les jeux
Olympiques p. 97, d'après un texte
© Bayard Presse 'La grande aventure
des Jeux Olympiques' n° 495; Un
match de basket est un spectacle!
p. 101, d'après un texte © Bayard
Presse 'Reportage: Basket sport-
spectacle' propos recueillis par
Maryse Berdah; Ils risquent de
disparaître p. 120, d'après un texte du
même titre © Bayard Presse n° 430;
L'eau p. 127, d'après un texte
© Bayard Presse 'Et ça tu le savais?';
Ecologie p. 127, d'après un texte du
même titre © Bayard Presse; Savais tu
que…? p. 127, d'après un texte
© Bayard Presse 'Le saviez-vous?';
Records du cinéma p. 152, d'après un
texte © Bayard Presse 'Les 10 records
du cinéma' n° 516; Le jazz p. 171,
d'après un texte © Bayard Presse; Le
Tour de France pp. 102–103, d'après
un texte © Bayard Presse 'Reportage:
le Tour de France' propos recueillis
par William Pac n° 423; Ils n'avaient
pas d'adolescence p. 131, d'après un
texte © Bayard Presse 1993.

Union Française des Centres de
Vacances Pensez à vos vacances
d'été p. 166.

Quebec:
Les Débrouillards Les œufs sont-ils
frais? p. 13; Camille et Marianne: des
jumelles identiques p. 22; Un cours
de biologie p. 22; Le calendrier
magique p. 27; Casse-tête p. 27;
Comment est ton école? p. 48; Cher
Mamadou p. 58; Satellites p. 69;
Journaliste du mois p. 83; Retour de
voyage p. 141; Les coiffeurs de Saint-
Clin p. 141.

Songs:
'Copain, copain' © 1989 ABEDITION;
'Le blues du businessman'
© PolyGram Music Publishing Ltd;
'Les Champs Elysées' © 1969
Intersong Music Ltd;
'Madeleine' © 1962 MCA Caravelle
Music France

The authors and publishers would
like to thank the following for their
help in providing authentic materials,
interviews, opinion polls and advice:

France:
Elisabeth Poiret, Cordes; Gérard
Bony, Perpignan; Denise Boulet,
Nîmes; Monique Cabiecas, Albi;
Sébastien Casco, Albi; Sébastien
Cavaillès, Albi; Jean-Pierre Cuq,
Cordes; Léon Daul, Strasbourg;
Thierry Desdoigts, Albi; Jean Feydel,
Paris; Fanfy Gandiglio, Cordes; Jean
Gaudiche, Orsay; Laurence
Gaudiche, Orsay; Pierre Gauthier,
Essonne; Marie-France Hergott,
Essonne; Monique Lévy, Essonne; La
Famille Luc, Blaye; Eleri Maitland,
Rouen; Nadège Marty, Albi; Pascal Le
Notre, Valence; Adrian Park, Reims;
Pierrick Picot, Angers; Isabelle
Pradelle, Albi; Emma Rogers, Cordes;
Danielle Tragin, Essonne; Guy
Valentini, Albi; Jean-Claude and
Isabelle Villin, Essonne; La Dépêche,
Albi; Pharmacie Larinier, Cordes;
Marks and Spencer, Toulouse;
Cabinet Vétérinaire du Mas de
Borie, Albi.

Other countries:
Abdul Adady, England; Barry
Ancelet, Louisiana, USA; Reto Auer,
Switzerland; André Bailleul, Guinea;
Olfa Belhadj, Tunisia; Pierrette
Berthold, Quebec; Margaret Briggs,
England; M. Colombini, Conseiller
Culturel, Guadeloupe; H Cronel,
Cameroun; Pierre Faugère, Togo;
Jaques Goldstyn, Quebec; Pamela
Goodman-Stephens, England;
R Guilleneuf, Bénin; Derek Hewett,
England; Marine Huchet, England;
Alex Hume, England; Inspecteur
d'Académie, Corsica; Richard
Johnstone, Scotland; Cathy Knill,
England; Monica Landry, Louisiana,
USA; Jean-Luc Lebras, Ivory Coast;
Michel Morand, Togo; Laurence
Neter, England; John Pearson,
England; Dr R C Powell, England;
Leila Rabet, Algeria; François Rouget,
Jersey; Sheila Rowell, England; Mary
Ryan, England; F. Scott, England;
David Soulsby, England; Joyce Teale,
Scotland; David Thomas, Wales;
Margaret Tumber, England; Pamela
Walker, England; Jane Willis,
England; Christine Wilson, England;
Patsy Zeitman, Mississippi, USA.

Also students and teachers from the
following establishments:

France:
Collège Camus, Neuville-les-Dieppe
(especially Jeanine Godeau); Collège
de Cordes, Tarn; Lycée Bellevue, Albi.

Other countries:
Chalet Beaumont, Quebec; Collège
Béninois, Bénin; Collège Général de
Gaulle, Guadeloupe; Collège Jean

Mermoz, Ivory Coast; Collège de
Luccina, Corsica; Collège Saint Esprit,
Senegal; Collège Saint Michel,
Senegal; Collège Trois Sapins,
Switzerland; Collège du Vieux Lycée,
Corsica; Ecole Fondamentale
Montagne 1, Algeria; Ecole Française,
Congo; Ecole de Lome, Togo; Lycée
Français, Cameroun; Lycée Français
Guinée; Lycée Français, England;
Polyvalente Deux Montagnes,
Quebec; Polyvalente Saint Eustache,
Quebec; Lycée Pilote, Sousse,
Tunisia; Lycée Français Pierre
Mendes-France, Tunis, Tunisia.

Illustrations
'Alphonse et …' cartoons: words by
Paul Rogers and art by Jacques
Sandron.

Also: Arlene Adams, John Blackman,
Judy Brown, Christophe Caron,
Isabelle Carrier, Catel, Sarah Colgate,
Paul Cookson, Clive Goodyer, Teri
Gower, Sophie Grillet, Richard
Jacobs, Tim Kahane, Genia
Kalatchev, Gillian Martin, Graeme
Morris, Jean-Marie Renard, Andrew
Sharpe, Julie Tolliday, Alan Vincent.

Photographs
Eve-Lucie Bourque: p. 22
Bridgeman Art Library: p. 161(2)
Britstock-IFA: p. 145
J. Allan Cash: pp. 38(2), 55(4), 85(6)
Bruce Coleman Ltd: p. 120(6)
Colorsport: p. 93(2)
Mary Evans: pp. 102, 153, 161
Futuroscope/A. Gouillardon: p. 159
Pamela Goodman-Stephens: pp. 167,
171(2)
Robert Harding Picture Library: pp. 7,
124
The Kobal Collection: p. 153
NHPA: p. 10(2)
Northern Picture Library: pp. 7(4), 10
Okapi/Bayard Presse: pp. 37(2), 97
Panos Pictures: p. 37
Parc Astérix: p. 78(5)
Presse Sport: pp. 93(2), 101
Q. A. Photos Ltd/Eurotunnel: p. 102
Rex Features: pp. 25, 49, 82, 110,
121(2), 123
The Ronald Grant Archive: p. 152(3)
Science Photo Library: p. 155
David Simson: pp. 21, 65, 75
Sporting Pictures UK: pp. 93(2), 100,
102
Still Pictures/John Mater: p. 123
Stockfile/Graham Watson: p. 103(2)
Tony Stone: p. 123(3)
L'Union Française des Centres de
Vacances: p. 166
Agence Video-System: p. 155
Roger Viollet: p. 153(2)

All other photos: Paul Rogers

Every effort has been made to
trace all copyright holders, but the
publisher will be pleased to make
the necessary arrangements if there
have been any omissions.

ROUTE NATIONALE — ÇA ROULE!

D'abord, tu roules avec ton professeur.

Puis c'est à toi de décider. A la fin de chaque chapitre tu trouves **entrée libre** où tu as

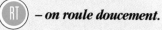

le choix:

➤ Route Touristique (RT) – *on roule doucement.*

➤ Route Directe (RD) – *on roule plus vite.*

➤ Autoroute (A) – *à toute vitesse.*

(Version anglaise des instructions: voir la

page 194.) Et pour les solutions? Facile – demande la fiche à ton professeur.

— — — — — *Ça roule bien?* — — — Remplis ton Permis de conduire.

N'oublie pas le vocabulaire et **Le code de la route** pour des explications de grammaire.

Bon courage et bonne continuation!

TABLE DES MATIERES

Roman photo

Janvier. Il y a une nouvelle élève dans la classe de 3ème.

Ça va? Je m'excuse, je ne me rappelle plus ton prénom.

C'est Fabienne. Oui, ça va.

C'est toujours pénible, la rentrée, hein?

Bof.

A la cantine.

Tu n'aimes pas le yaourt?

Si, mais je le garde pour plus tard.

Après les cours.

Tu habites près d'ici?

Non, pas vraiment. J'habite à Lignon.

Et tu ne prends pas le car?

Oh là là! Toutes ces questions!

Ecoute. Si je t'embête, il faut le dire.

Non, c'est pas ça.

Eh bien, moi, j'habite par là aussi. Je t'accompagne.

Non, tu ne peux pas. Désolée mais … c'est impossible.

Ah bon? D'accord. Alors, à demain.

Nous voilà

Salut. Je m'appelle Alia.
J'ai quinze ans. J'habite en Belgique
à Bruxelles. Je suis en troisième.

Bonjour. Je suis Daniel.
J'ai seize ans. J'habite à Montreux, en
Suisse. Je suis en seconde au lycée.

Imagine que
tu es une de
ces personnes.
Présente-toi à
ton/ta partenaire.

Massoud
14 ans
Sfax, Tunisie
en seconde

Maude
15 ans
Bordeaux, France
en troisième

Jean-Claude
15 ans
Besançon, France
en seconde

Nadine
14 ans
Fort de France,
Martinique
en troisième

Thierry
15 ans
Marigot, Martinique
en seconde

Tu as quel âge?
Quel âge as-tu?

Tu habites où?
Où habites-tu?

Tu es en quelle classe?
En quelle classe es-tu?

Frank
15 ans
Freibourg, Suisse
en seconde

Martine
14 ans
Interlaken, Suisse
en troisième

Mohammed.
14 ans
Sousse, Tunisie
en troisième

Ecoute la cassette.
Qui parle à chaque fois?

Jeu de logique

Travaille avec ton/ta partenaire. Joue le rôle d'une de ces personnes
et demande à ton/ta partenaire de deviner qui tu es.

Exemple

A – J'ai choisi.
B – Tu as quel âge?
A – Quinze ans.
B – Où habites-tu?
A – En France. (Nomme le pays, mais pas la ville!)

B – Tu es en quelle classe?
A – Je suis en troisième.
B – Tu es Maude?
A – Oui. Bon, c'est à toi. Choisis une personne.

Ma routine

Voici cinq personnes qui parlent de leur travail et de leur routine quotidienne.

Je m'appelle Guy Fauconnier. Je suis boulanger dans une ville du sud-ouest de la France. Je me couche de très bonne heure, à neuf heures, parce que je dois me lever le matin à trois heures pour commencer à faire le pain. J'habite dans un appartement au-dessus de la boulangerie. J'ouvre la boulangerie à six heures trente du matin. A midi, je monte à l'appartement pour manger, et je fais une petite sieste l'après-midi parce que je suis très fatigué. Je commence à refaire des pains pour quatre heures de l'après-midi. Le magasin reste ouvert jusqu'à vingt et une heures.

Je m'appelle Michèle Demers. Je suis écolière. Je me lève de bonne heure le matin, à sept heures. A huit heures je prends le car pour aller à Montréal … j'habite juste en dehors de la ville. L'école commence assez tôt, à huit heures et demie. J'ai cours jusqu'à midi et demi. On a une heure pour le déjeuner. Je suis demi-pensionnaire, alors je prends mon déjeuner à l'école. Après, on a encore des leçons d'une heure et demie à quatre heures et demie. Je rentre à la maison pour faire mes devoirs. D'habitude je me couche vers neuf heures et demie.

Je m'appelle Danielle Cartier. Je travaille à mi-temps. Je suis secrétaire chez un dentiste. Je me lève de très bonne heure, à six heures et demie. On prend le petit déjeuner en famille. Les enfants et mon mari m'aident à débarrasser la table, à faire la vaisselle, à ranger tout. Après, je vais au travail à pied. Je travaille de huit heures et demie à midi et demi tous les jours. Et puis, quand j'ai fini mon travail, je passe au supermarché. Je rentre alors à la maison et je fais le ménage. Ça ne me laisse pas beaucoup de temps à moi, mais l'après-midi, si je peux, je lis un magazine ou j'écoute la radio. Si possible, je dors une petite demi-heure. Et les enfants rentrent à cinq heures et demie. Je ne me couche jamais avant onze heures du soir. Souvent, c'est plus tard.

Moi, je m'appelle Sylvain Karaudren. Je suis breton et je suis pêcheur. J'ai mon propre bateau. Quatre ou cinq jours par semaine je sors avec le bateau. Ça dépend un peu du temps qu'il fait. D'habitude, on part vers quatre heures du matin. On prend le petit déjeuner et le déjeuner en mer, puis on rentre au port vers trois ou quatre heures l'après-midi. C'est une longue journée et même là le travail n'est pas terminé parce qu'il faut ranger le matériel et après, apporter les poissons à la coopérative. Une fois à la maison je prends une douche et je mange, bien sûr. Donc, normalement, je n'arrive pas à me coucher avant sept, huit heures du soir.

Je m'appelle Philippe Bernard. Je travaille à l'usine et moi, je travaille de nuit. Je pars de chez moi à environ vingt heures. Je vais au travail à vélo. Je commence à vingt et une heures, et je travaille jusqu'à six heures du matin. C'est du travail à la chaîne, alors c'est répétitif et plutôt ennuyeux. A une heure du matin c'est la pause pour manger, alors je vais à la cantine. En général, je mange un sandwich. Quand j'ai fini mon travail, je rentre à la maison et je dors. Je me lève à une heure de l'après-midi.

A

Recopie cette grille et remplis les détails pour chaque personne.

nom	se lève à	travaille où?	se couche à
Guy Fauconnier			

B

Où sont-ils et qu'est-ce qu'ils sont tous en train de faire:

1 à six heures trente du matin?
2 à huit heures du matin?
3 à onze heures du matin?
4 à trois heures de l'après-midi?
5 à neuf heures et demie du soir?

Exemple
1 Guy Fauconnier est dans la boulangerie et il travaille.
   Michèle Demers est au lit et elle dort.

C

1 Combien de ces personnes se lèvent avant six heures du matin? Lesquelles?
2 Lesquelles d'entre ces personnes travaillent chez elles?
3 Lesquelles d'entre ces personnes se couchent l'après-midi?
4 Qui se lève le premier?
5 Qui, à ton avis, a la journée la plus intéressante?
6 Qui, à ton avis, a la journée la plus dure? Pourquoi?

D

Maintenant écris ta propre routine quotidienne. Si tu préfères, tu peux imaginer que tu es quelqu'un d'autre – à toi de choisir!

Rappel

Je me II/elle se	lève couche	à huit heures. tard.
Tu te	lèves	de bonne heure.
Guy et Sylvain se	couchent	très tôt.

Sondage: routines

On a posé une série de questions à des classes de troisième à Toulouse. Voici les résultats.

Tu te lèves à quelle heure pendant la semaine?

10%	40%	50%
avant 6h00	entre 6h00 et 7h00	entre 7h00 et 7h30

Combien de temps de devoirs est-ce que tu as chaque soir?

15%	35%	50%
une heure	entre une et deux heures	plus de deux heures

A quelle heure est-ce que tu quittes la maison?

25%	35%	40%
avant 7h00	entre 7h00 et 7h30	entre 7h30 et 8h00

Combien d'heures est-ce que tu passes devant la télé?

15%	40%	45%
je ne regarde pas la télé	moins d'une heure	entre une heure et deux heures

Comment vas-tu à l'école?

20%	12%	8%	38%	18%	4%
à pied	à vélo	en mobylette	en car	en voiture	par le train

Tu te couches vers quelle heure?

10%	50%	40%
avant 21h00	entre 21h00 et 22h00	après 22h00

A quelle heure est-ce que tu rentres le soir?

30%	40%	30%
entre 17h00 et 17h30	entre 17h30 et 18h00	après 18h00

Complète les phrases

1 La plupart des jeunes interrogés se lèvent entre _____.
2 La plupart d'entre eux quittent la maison entre _____.
3 La plupart vont à l'école _____.
4 Très peu vont à l'école _____.
5 La plupart rentrent _____.
6 La plupart ont _____ de devoirs chaque soir.
7 La plupart passent _____ devant la télé.
8 _____ se couchent avant neuf heures du soir.

A toi

Fais un sondage dans la classe. Pose les questions à tes camarades de classe et note les résultats en graphiques.

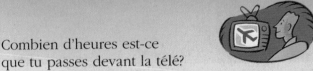

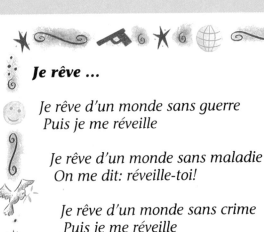

Je rêve …

Je rêve d'un monde sans guerre
Puis je me réveille

Je rêve d'un monde sans maladie
On me dit: réveille-toi!

Je rêve d'un monde sans crime
Puis je me réveille

Je rêve d'un monde sans malheur
On me dit: réveille-toi!

Je ne voudrais pas me réveiller
Dans un monde sans rêves

Le sommeil

Que sais-tu au sujet du sommeil?
Décide si chaque phrase dans les formes bleues
est vraie ou fausse. Suis la ligne pour découvrir la
bonne réponse.

1 Il est impossible de vivre sans dormir.

2 Nous passons un quart de notre vie à dormir.

3 Un adolescent a besoin de six heures de sommeil par jour.

4 Il ne faut pas manger beaucoup avant de se coucher.

5 Il y a trois différents stades de sommeil.

6 Un petit enfant rêve plus qu'un adulte.

7 On peut apprendre une langue étrangère en dormant.

8 Les plantes se reposent la nuit.

9 Tous les mammifères dorment profondément.

10 Les animaux qui hibernent dorment.

11 Un pigeon dort plus qu'un éléphant.

12 Pendant que nous dormons, notre corps ne reste pas inactif.

Vrai. Un repas trop copieux et trop tardif empêche de bien dormir.

Vrai. L'homme supporte très mal d'être privé de sommeil. Le record mondial sans sommeil = 11 jours.

Vrai. Un nouveau-né rêve trois fois plus qu'un adulte.

Vrai. La photosynthèse ne peut se passer que sous l'action du soleil.

Faux. Un adolescent a besoin de neuf heures de sommeil.

Faux. Le dauphin doit rester à moitié éveillé pour pouvoir respirer à l'air libre et ne pas se noyer!

Faux. Nous passons un tiers de notre vie à dormir. Une femme de 60 ans a passé 20 années endormie.

Vrai. Temps de sommeil moyen par jour:
le cheval et la vache: 5–6 heures
l'éléphant: 6 heures
l'homme: 7–8 heures
le pigeon: 10 heures
le chat: 14 heures
le paresseux: 16–18 heures
la chauve-souris: 20 heures

Faux. Il n'est pas possible d'apprendre une langue étrangère, ses tables de multiplication ou sa dernière poésie pendant que l'on dort.

La Belle au bois dormant

Vrai. Pendant la période d'hibernation, les animaux sont inactifs. L'hibernation est un temps du sommeil profond sans aucune phase de sommeil paradoxal. Ils ne rêvent pas.

Vrai. Pendant la nuit, notre corps recharge ses batteries. Une chose étonnante … la nuit les cheveux et les ongles poussent plus vite!

Vrai. Il y a le sommeil léger, le sommeil profond et le sommeil paradoxal. On rêve pendant le sommeil paradoxal.

TU ES LA FILLE DE MES RÊVES.

C'est du boulot, d'avoir un animal à la maison!

Regarde les photos. Puis lis ce que disent les gens qui s'occupent des animaux. Relie les phrases et les photos.

Exemple
A, c'est le chat.

tortue

chien

poissons tropicaux

chat

poney

perruches

lapins

B Il faut lui donner du foin à manger.

A Il est très indépendant. Il va et il vient comme il veut.

C Il faut leur donner des graines à manger.

E Il faut nettoyer l'aquarium.

D Il faut le promener tous les soirs.

H Il faut changer le papier au fond de la cage.

F On lui donne du lait à boire plusieurs fois par jour.

G On lui donne de l'eau et de la laitue.

I Il faut nettoyer les cabanes.

K Il n'y a pas grand-chose à faire pour elle.

L Il faut le monter parce qu'il a besoin d'exercice.

J De temps en temps on lui donne un bain.

M Il faut les laisser courir sur la pelouse.

Rappel

Il faut	nettoyer les cabanes.		
	le promener tous les soirs.		
	lui	donner	à manger.
	leur	~~donner~~	un bain.

La nourriture et toi

Que penses-tu de ces choses à manger? Qu'en pense ton/ta partenaire?
Servez-vous des réponses à côté pour échanger vos opinions. ▶▶▶▶▶

les hamburgers

la moutarde

les sardines

le pâté

la salade mixte

le ketchup

la réglisse

le chewing-gum

le poulet

l'ail

la mayonnaise

les saucisses

le curry

les gâteaux

les bâtonnets de poisson

Tu aimes le/la/les …?
Ça va.
J'ai horreur de ça! horrible
C'est vraiment bon!
Il y a plein de colorants.
C'est vraiment délicieux.
J'adore ça.
J'en mangerais toute la journée!
Ça fait grossir.
C'est très mauvais pour la santé.
Ça me rend malade.
C'est dégoûtant.
Ça me donne mal au cœur.
C'est très fin.
Ça a un goût vraiment désagréable.
C'est trop sucré.
C'est bourratif.
C'est très gras.
Ça a un très bon goût.

La cantine

Menu

du 15 octobre au 19 octobre

lundi 15	salade de tomates steak haché petits pois fromage	jeudi 18	sardines poisson pané citron riz glace
mardi 16	potage de légumes lapin en sauce purée yaourt	vendredi 19	radis au beurre pâtes au fromage petits pois gâteau roulé
mercredi 17	quiche Lorraine saucisse frites banane		

Lis le menu à la cantine puis lis les textes ci-dessous. Quel serait le jour préféré de chaque personne?

Fais de la publicité pour la cantine de ton collège. Enregistre-la et illustre-la, si tu peux.

1 Je prends le déjeuner à l'école tous les jours. Moi, j'adore le poisson. J'aime bien toutes sortes de poissons.

2 Moi, j'aime bien les plats simples. Je n'aime pas trop les sauces ni les plats étrangers. Je n'aime pas beaucoup les fruits non plus. Je ne mange pas très souvent à la cantine.

3 Je mange à la cantine à midi une ou deux fois par semaine. Moi, je suis végétarienne. Ça c'est difficile. Il y a de la viande presque tous les jours.

4 Pour moi, c'est facile. J'aime tout. J'aime bien tout ce qui est salé... jambon, saucisses. J'aime beaucoup les frites et j'adore tous les fruits!

MANGE A LA CANTINE

C'est la meilleure cuisine

🏠 A faire chez toi

Prépare une réponse à ces questions, par oral ou par écrit.

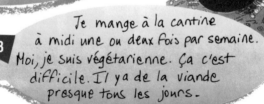

Tu as un animal à la maison? C'est toi qui t'en occupes? Qu'est-ce qu'il faut faire? Je voulais aussi te demander: qu'est-ce que tu aimes comme nourriture? Et qu'est-ce que tu n'aimes pas? Tu manges à la cantine du collège? C'est bon?

Rappel

J'aime bien J'adore Je n'aime pas	le poisson. le potage. la salade. la viande. les sauces. les légumes.

Pas vrai!

Les œufs sont-ils frais?

Comment peut-on savoir si les œufs sont frais? Voici une expérience toute simple à faire. Prends deux œufs qui viennent de douzaines achetées à des dates différentes. Remplis d'eau un bocal de verre et dépose les œufs dedans. Observe l'angle qu'ils font avec le fond du bocal. Plus l'œuf se dresse sur sa pointe, moins il est frais.

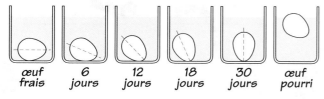

| œuf frais | 6 jours | 12 jours | 18 jours | 30 jours | œuf pourri |

Si l'un de tes œufs flotte – jette-le!
Il est pourri. Et ne le casse pas!
Ça sentira mauvais!

Pourquoi ça marche?

C'est à cause de la chambre à air dans l'œuf. La coquille de l'œuf est perméable: elle laisse passer lentement les liquides et les gaz. L'œuf perd du liquide par évaporation, et le liquide est remplacé par de l'air. La chambre à air devient de plus en plus grosse et elle soulève le bout de l'œuf!

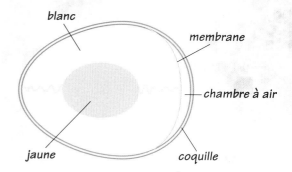

blanc
membrane
chambre à air
coquille
jaune

Hit-Parade des prénoms

Depuis 1975, les prénoms les plus donnés aux garçons en France sont:
Christophe, Frédéric, David, Sébastien, Cédric, Julien et Alexandre.

Chez les filles, les prénoms à la mode sont:
Nathalie, Virginie, Emilie, Aurélie, Sandrine, Céline, Lætitia et Alexandra.

Connais-tu les jours de la semaine?

1 Quelles sont les deux lettres, dans le même ordre, que l'on retrouve dans tous les jours de la semaine?

2 Quel jour contient le nom du bras de mer qui sépare l'Angleterre de la France?

3 Quel jour contient un numéro?

4 Quel est le troisième jour de la semaine dans le dictionnaire?

5 Quels sont les deux jours qui contiennent le maximum de lettres en commun?

6 Quel jour contient un océan?

(Solution à la page 193)

Blague

Dans une station-service, un homme s'approche d'une machine à boissons et y met un franc. Une bouteille tombe, il la met dans son sac et remet un franc. Une nouvelle bouteille tombe, et ainsi de suite. Derrière lui, une queue se forme et le sac se remplit.

Un automobiliste énervé lui demande: "Vous en avez encore pour longtemps?"

L'homme répond: "Tant que je gagne, je joue …"

Station service

Different ways of asking the same question

Quel âge	as-tu?
Tu as	quel âge?

How old are you?   **189–190**

A quelle heure	est-ce que tu rentres	le soir?
	rentres-tu	
	tu rentres	

What time do you get home in the evening?

Reflexive verbs: present tense

Je m'	appelle	Hélène.
	occupe	du chien.
Je me	lève	à sept heures.

My name's Hélène.   **182**
I look after the dog.
I get up at seven o'clock.

Tu t'	appelles	comment?
Tu te	couches	à quelle heure?

What's your name?
What time do you go to bed?

Elle se	réveille	de bonne heure.
Il s'	approche	de la machine.

She wakes up early.
He goes up to the machine.

On se	lève	plus tard le week-end.
Nous nous	levons	

We get up later at weekends.

Vous vous	levez	à quelle heure?

What time do you get up?

La plupart des jeunes se	lèvent	avant 7h 30.
Ils se	couchent	avant 22h 00.

Most young people get up before 7.30.
They go to bed before 10 o'clock.

Il faut + infinitive

Il faut	le dire.

You must say.   **183**

Il faut	promener le chien.
	donner à manger au lapin.
	nettoyer la cabane.

You have to take the dog for a walk.
You have to feed the rabbit.
You have to clean out the hutch.

Il ne faut pas	manger beaucoup avant de se coucher.

You shouldn't eat a lot before going to bed.

The definite article in generalisations

J'aime bien	le poisson.
	le potage.
J'adore	les fruits.
Je n'aime pas	la viande.
	l'ail.

I like fish.   **176**
I like soup.
I love fruit.
I don't like meat.
I don't like garlic.

La chasse aux 'C'

Regarde le dessin et trouve tous les mots qui commencent par 'c'.
(Il y en a au moins 20!)

Fais correspondre!

Voici les réponses de Céline aux questions de sa correspondante.
Fais correspondre les questions et les réponses en les recopiant dans ton cahier.

Exemple

Comment s'appelle ta petite sœur? → Emilie.

Les questions

1 Comment s'appelle ta petite sœur?
2 Elle a quel âge?
3 Tu te lèves à quelle heure pour l'école?
4 Tu y vas à pied?
5 Où est-ce que tu manges à midi?
6 Tu aimes les pâtes?
7 Quel est ton plat préféré?
8 Qu'est-ce que tu as comme animaux?
9 C'est toi qui t'en occupes?
10 Tu passes combien de temps par jour
à faire tes devoirs?

Les réponses

A Le poulet frites, je crois.
B A sept heures et demie.
C J'ai un chat.
D Je lui donne à manger, oui.
E Normalement entre une et deux heures.
F Emilie.
G Ah oui. J'adore ça!
H Non, je prends le car.
I Sept ans.
J A la cantine.

Routine journalière

Remplis les blancs en te servant des mots ci-dessous.

Je m'appelle Jérôme et je _____ mécanicien dans un grand garage. Je _____ de bonne heure, à sept heures. Je _____ au travail en voiture. La première chose que je _____ en arrivant au garage c'est de prendre un café. Je _____ toute la matinée. A midi on _____ pour déjeuner. D'habitude on _____ au restaurant juste en face. Ça me _____ une heure et demie. Après, je _____ au garage et je _____ à travailler jusqu'à dix-huit heures.

vais   mange   continue
s'arrête   suis   retourne
me lève   fais   prend   travaille

Que mangent-ils?

En kilogrammes consommés par personne et par an

☐ Céréales   ▨ Fruits et légumes
■ Sucre   ▨ Viande   ☐ Lait

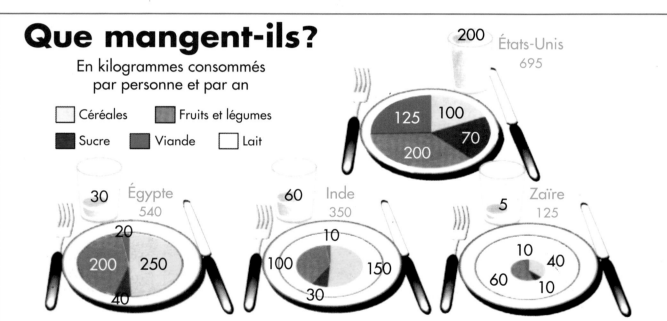

200 États-Unis
695
125 100
70
200

30 Égypte
540
20
200 250
40

60 Inde
350
10
100 150
30

5 Zaïre
125
10 40
60 10

Compare le contenu de ces assiettes. Puis recopie ces phrases en remplissant les blancs avec le nom du pays qui correspond.

1 Un habitant des _____ consomme 70 kilos de sucre par an.
2 En _____ chaque habitant consomme la même quantité de fruits et de légumes par an qu'aux Etats-Unis.
3 Un habitant du _____ mange presque six fois moins qu'un Américain.
4 Dans l'ensemble on mange deux fois plus aux Etats-Unis qu'en _____ .

5 Un habitant d'_____ mange deux fois plus de viande qu'un habitant du Zaïre.
6 Aux _____ la viande représente un quart de toute la nourriture consommée.
7 En _____, en _____ et au _____ on mange surtout des céréales, des fruits et des légumes.
8 Aux _____ on boit 40 fois plus de lait qu'au Zaïre.

La journée de Julie

Regarde les dessins et l'heure. Puis, écris la routine de Julie.

Exemple

Je me lève à sept heures et quart.

Julie

Qu'est-ce qui ne va pas?

Trouve l'erreur dans chacun de ces textes et essaie de la corriger.

Depuis que je suis tout petite, j'ai toujours eu des animaux. C'est une compagnie, c'est pour moi une joie, de l'amusement, de la douceur. Mon chien surtout tient une grande place dans ma vie. A lui, je peux confier tous mes secrets. Quand je suis triste, je le serre contre moi, et je lui dis tout. Quand il revient de l'école, il court vers moi, je le caresse, et lui il me lèche les joues. **1**

Quand on me demande ce que j'aime manger, je ne sais jamais quoi dire. J'aime presque tout! Il y a une ou deux choses que je ne supporte pas, comme les tripes. Et il y a certaines choses que je n'ai jamais essayées: la viande d'autruche, par exemple. Mais pour le reste, je ne suis vraiment pas facile du tout. Je mange tout ce qu'on me donne. Et j'aime aussi cuisiner moi-même – surtout les gâteaux et les plats italiens. **2**

Ce que je n'aime pas du tout dans la vie d'écolier, c'est la routine. Chaque jour, chaque semaine, c'est toujours la même chose à la même heure: on se lève, on prend le car, on a cours, on s'arrête pour travailler, on a encore des cours, on prend le car, on fait ses devoirs, on se couche. C'est si ennuyeux. Moi, j'aime la variété, les choses nouvelles. Comme métier, je voudrais faire quelque chose où il n'y ait pas de routine du tout! **3**

2 **C'EST MA VIE!**

Parler du caractère, des relations personnelles et familiales, de la forme et de la santé, des horoscopes, et de l'avenir

Roman photo

Un mois plus tard.

Fais voir.

Maintenant Poissons: "Ce mois-ci sera important pour vous. Il y aura des décisions difficiles à prendre. N'hésitez pas. Ça —"

Hé, Mathieu, viens!

Ne sois pas si superstitieuse! C'est pour s'amuser, c'est tout. Ne le prends pas au sérieux.

Après les cours.

Ah, te voilà! Ça va l'école?

Bof.

Ça sera bientôt fini, puis tu seras libre. Encore un an et tu n'auras plus de devoirs et tu pourras gagner de l'argent.

Je m'excuse. J'étais avec un copain, un garçon de ma classe.

Chez Fabienne.

Tu me le diras, la prochaine fois que tu penses être en retard?

Alors, il s'appelle Mathieu. Il n'est pas très grand. Il est fils unique. Enfin, il est sympa. On s'entend vraiment bien.

Dis-moi comment il est, ce garçon.

Tu m'expliqueras un jour où tu vas?

Peut-être. Un jour.

Le lendemain.

Tu sais, tu es très secrète.

C'est pas vrai. Et pour le prouver, je te dirai un secret. Jeudi prochain, c'est mon anniversaire! J'aurai 15 ans. Je t'invite chez moi!

Un regard dans le miroir

Regarde bien ces adjectifs. Dresse une liste des adjectifs qui, à ton avis, décrivent le mieux ton caractère. Puis dresse une autre liste d'adjectifs pour décrire ton/ta partenaire. Après, échangez vos listes. Vous êtes d'accord?

arrogant(e)
artiste
calme
curieux/curieuse
doué(e)
drôle
embêtant(e)
extraverti(e)
généreux/euse
gentil(le)

honnête
indépendant(e)
intelligent(e)
modeste
musicien(ne)
ouvert(e)
pénible
plein(e) d'humour
rêveur/rêveuse
romantique

sensible

sérieux/sérieuse
sociable

solitaire
sportif/sportive
sympathique

timide
tranquille
vaniteux/vaniteuse

Maintenant choisis un personnage célèbre et décris son caractère. Ton/ta partenaire doit deviner qui c'est.

Exemple
Il est très doué, très généreux, très musicien et en même temps très timide. Qui est-ce?

Petites annonces: rencontres

Lis ces annonces personnelles. Qui te semble le plus sympa? Pourquoi? Tes copains sont d'accord avec toi?

J'adore la musique. Je joue de la flûte et de la clarinette. Mes chanteurs préférés sont Chantal et Yoyo. J'aime aussi la mode. Je trouve que je n'ai rien d'extraordinaire, mais mes amis disent le contraire. Je voudrais rencontrer un garçon pour aller aux concerts. *Francine 16 ans*

Je suis musclé, super cool, super beau. J'aime les sensations fortes … les boums et la musique rock. J'ai aussi le sens de l'humour. Je cherche une fille qui peut m'apprécier! *Jean-François 17 ans*

J'aime le ski de fond, la lecture et l'équitation, et je joue au hockey. Je veux rencontrer une fille sportive de quinze ans qui aime s'amuser. *Christophe 15 ans*

Mes sports préférés sont le patin à glace et le ski alpin. J'aime aussi danser et m'amuser. J'adore les films d'horreur. J'adore les garçons blonds et extravertis! *Jacinthe 16 ans*

J'aime observer les oiseaux, collectionner les timbres et j'adore les bandes dessinées. Je veux rencontrer un garçon calme, sensible et intelligent – si ça existe! *Eve 15 ans*

J'adore la musique pop, la natation et la peinture. J'aime aussi les ordinateurs. Y a-t-il une fille de mon âge qui aime les mêmes choses? P.S. J'ai les yeux bleus et les cheveux bruns. Je suis bilingue: je parle français et anglais. *Olivier 15 ans*

Ecoute la cassette. On parle des six jeunes. De qui parle-t-on à chaque fois?

Qui est-ce?

Travaille avec ton/ta partenaire. Décris un de ces jeunes. Ton/ta partenaire doit dire qui c'est.

Exemple
A – Cette personne aime collectionner les timbres. Qui est-ce?
B – C'est Eve.

☆ A toi maintenant
Ecris ta propre petite annonce. Parle de tes passe-temps, tes sports et tes activités préférées. Décris aussi la sorte de personne que tu cherches!

Rappel

Je suis	timide. extraverti(e). artiste.	
Tu es	assez très	sérieux/sérieuse. embêtant(e). gentil(le).
J'aime	le ski de fond. la peinture. danser.	
Je joue	de la flûte. au tennis.	

C'est compliqué, les familles!

Recopie les phrases et remplis les blancs avec les mots ci-dessous.

1 La sœur de ma mère est *ma tante*.
2 La fille du frère de mon père est _____.
3 Le frère de mon père est _____.
4 Le mari de ma sœur est _____.
5 Le père de ma mère est _____.
6 Le neveu de mon oncle est _____.
7 La mère de mon père est _____.
8 Le fils de la sœur de ma mère est _____.

Maintenant, invente d'autres définitions toi-même!

> ma tante
> mon oncle mon grand-père ma cousine
>   ma grand-mère
> mon beau-frère moi mon cousin

Les familles, c'est ça!

On parle de sa famille. Ecoute la cassette et lis les textes. Puis réponds aux questions ci-dessous.

Nadine: J'ai quinze ans. Je n'ai qu'une sœur aînée, et on s'entend très bien ensemble. On a beaucoup de choses en commun.

Ahmed: J'habite avec ma mère. Je m'entends bien avec elle. On se dispute rarement. Elle me donne beaucoup de liberté mais en même temps, elle ne me laisse pas tout faire.

Yannick: J'ai des problèmes avec ma mère. Je ne la vois que les week-ends et souvent nous nous disputons. Elle a un nouveau travail depuis un an et elle me laisse me débrouiller tout seul.

Stéphane: J'ai des problèmes avec mes parents, qui sont trop vieux-jeux et qui ne comprennent pas que les temps ont changé. Ils sont trop sévères.

Sara: Moi, j'ai seize ans et nous sommes six filles de deux à dix-sept ans! Entre nous, c'est toujours la guerre pour un rien. On se dispute pour un oui ou pour un non. Nos parents en ont assez.

Tu les reconnais?

Lis ce qu'on dit de ces personnes. Qui est-ce à chaque fois?

Exemple
1 Ahmed

1 Ce garçon s'entend bien avec sa mère. Il est content parce qu'elle le laisse tranquille la plupart du temps.
2 Cette fille et ses sœurs s'entendent si mal qu'elles causent beaucoup d'ennuis à leurs parents.
3 Cette fille et sa sœur s'entendent bien parce qu'elles partagent beaucoup d'intérêts et d'amis.
4 Ce garçon se sent négligé par sa mère qui ne s'occupe plus de lui.
5 Ce garçon s'entend mal avec ses parents, qui ne comprennent pas les jeunes d'aujourd'hui.

S'entendent bien ... s'entendent mal

Ecoute les cinq conversations sur la cassette. Qui parle dans chacune? Une mère et sa fille? Deux frères? Un frère et sa sœur? Ils s'entendent bien ou mal?

Rappel

Je me dispute	souvent un peu	avec	mon père. ma mère.
Je m'entends	bien mal		mes parents. mon frère aîné. ma sœur.
On s'entend	très	bien. mal.	
On se dispute Nous nous disputons	pour rien. rarement.		

Un bon copain

Lis ces opinions puis recopie les cinq 'doit' et les cinq 'ne doit pas' qui te semblent les plus importants. Après, lis tes listes à ton/ta partenaire. Vous êtes d'accord ou non?

Réactions

Oui,	c'est vrai! je suis d'accord.
Non,	pas du tout! pas forcément. c'est pas vrai! au contraire! c'est idiot, ça!
N'importe quoi!	

Exemple

A – Un bon copain doit habiter tout près.

B – Non, c'est pas vrai.
Une bonne copine ne doit pas avoir les mêmes intérêts que toi.

A – Oui, c'est vrai.

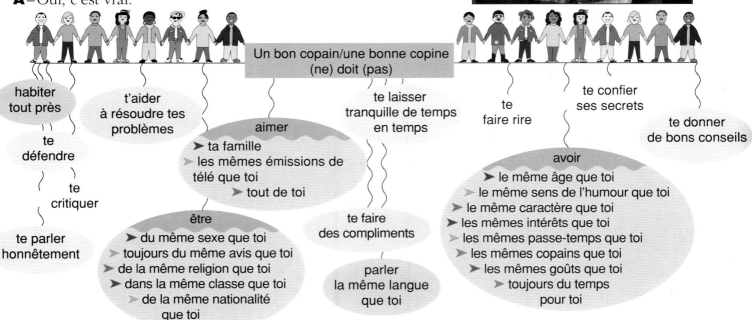

Un bon copain/une bonne copine (ne) doit (pas)

habiter tout près

te défendre

te critiquer

te parler honnêtement

t'aider à résoudre tes problèmes

aimer
➤ ta famille
➤ les mêmes émissions de télé que toi
➤ tout de toi

être
➤ du même sexe que toi
➤ toujours du même avis que toi
➤ de la même religion que toi
➤ dans la même classe que toi
➤ de la même nationalité que toi

te laisser tranquille de temps en temps

te faire des compliments

parler la même langue que toi

te faire rire

te confier ses secrets

te donner de bons conseils

avoir
➤ le même âge que toi
➤ le même sens de l'humour que toi
➤ le même caractère que toi
➤ les mêmes intérêts que toi
➤ les mêmes passe-temps que toi
➤ les mêmes copains que toi
➤ les mêmes goûts que toi
➤ toujours du temps pour toi

☆ A toi maintenant

Décris ton meilleur copain/ta meilleure copine. Sers-toi des expressions ci-dessus. (Attention: on laisse tomber maintenant le verbe 'doit' et on utilise le verbe approprié pour chaque phrase.)

Mon meilleur copain	a le même âge que moi.
Ma meilleure copine	n'est pas dans la même classe que moi.
	me parle honnêtement.

Camille et Marianne: des jumelles identiques

A quinze ans, Camille et Marianne Alexandre sont un peu fatiguées de se faire prendre l'une pour l'autre.

Elles ont les mêmes goûts dans beaucoup de choses. Elles portent les mêmes vêtements, la même coiffure et les mêmes bijoux.

Elles ont tout de même deux kilos de différence. L'une est sans doute plus gourmande que l'autre!

Et si leur corps est semblable, leur personnalité est différente. Camille est plus sportive et drôle que sa sœur.

Aiment-elles être ensemble? Oui, mais elles ne sont pas comme les deux roues d'une bicyclette; elles n'ont pas envie de *tout* faire ensemble!

Depuis la maternelle, les jumelles n'ont jamais été dans la même classe. Elles partagent cependant les mêmes amis.

C'est juste?
1 Camille porte les mêmes vêtements que Marianne.
2 Elles font le même poids.
3 Camille est plus drôle que Marianne.
4 Elles sont dans la même classe.
5 Elles ont les mêmes copains.

Un cours de biologie

Lis le texte et choisis les bonnes réponses aux questions ci-dessous.

Jumeaux identiques: un seul œuf

La vie des jumeaux identiques commence comme celle de n'importe quel être humain: un spermatozoïde et un ovule s'unissent et forment un œuf. Ensuite l'œuf se divise en deux cellules exactement pareilles. Deux bébés très semblables se développent dans le ventre de la mère. Ces jumeaux se ressemblent comme deux gouttes d'eau parce que leurs cellules contiennent des gènes identiques.

Les gènes déterminent les caractéristiques physiques d'un individu: par exemple, sexe, taille, couleur de la peau. Chez les jumeaux identiques, presque tout est pareil: par exemple, la taille, les empreintes digitales, la couleur des yeux et des cheveux, la forme du nez. De plus, les jumeaux identiques sont toujours du même sexe. L'un peut cependant être un peu plus gras ou plus musclé, ou encore légèrement plus grand que l'autre. Cela, parce qu'ils ne mangent pas toujours la même chose et ne pratiquent pas les mêmes activités.

Jumeaux non identiques: deux œufs différents

Ici le corps de la mère produit deux ovules. Chaque ovule s'unit à un spermatozoïde différent pour former deux œufs différents. Ces œufs sont différents parce qu'ils n'ont pas reçu les mêmes gènes.

Résultat: deux bébés se développent côte à côte dans le ventre de la mère. Mais ces bébés ne se ressemblent pas plus que des frères et sœurs 'ordinaires'. Ils peuvent être du même sexe ou de sexe opposé. Les jumeaux non identiques sont beaucoup plus nombreux que les jumeaux identiques. Deux couples de jumeaux sur trois sont non identiques.

1 Les jumeaux identiques sont toujours
a de sexe opposé.
b du même sexe.

2 Les jumeaux non identiques
a doivent se ressembler un peu.
b ne doivent pas forcément se ressembler.

3 Les jumeaux identiques ont
a la même couleur des yeux.
b les yeux d'une couleur différente.

4 Les jumeaux identiques sont
a moins nombreux que les jumeaux non identiques.
b plus nombreux que les jumeaux non identiques.

5 Les jumeaux non identiques
a ont la même forme de nez.
b n'ont pas forcément la même forme de nez.

6 Les jumeaux identiques
a ont toujours les mêmes passe-temps.
b peuvent avoir des passe-temps différents.

7 Les jumeaux identiques
a partagent quelquefois les mêmes amis.
b n'ont jamais les mêmes amis.

8 Les jumeaux identiques viennent
a d'un seul œuf.
b de deux œufs différents.

Gardez votre santé

Trop de travail, peu de temps libre ou peu de travail et trop de temps libre – quel que soit le problème il est certain que trop de gens ne s'occupent pas assez de leur santé. On a consulté un médecin, qui nous a proposé ces bons conseils: ▶▶▶

- Prenez beaucoup d'exercice
- Évitez l'alcool
- Couchez-vous tôt le soir
- Levez-vous de bonne heure
- Faites des promenades régulières
- Respirez souvent de l'air frais
- Évitez de prendre trop de médicaments
- Évitez complètement les drogues
- Ayez beaucoup de loisirs
- Faites-vous beaucoup d'amis

- Ne mangez pas trop
- Ne fumez jamais
- Ne travaillez pas trop dur
- Ne prenez pas les petits problèmes trop au sérieux
- Ne vous inquiétez pas trop
- N'agressez pas les gens
- Ne prenez pas de risques avec votre argent

Combien de ces bons conseils suis-tu?
Peux-tu en ajouter d'autres?

TEST

Tu mènes une vie saine? Tu es en bonne forme?
Réponds à ces questions que va te poser ton/ta partenaire. Ensuite il/elle doit calculer ton score. Après, c'est à toi de lui poser les mêmes questions. Sois honnête!

Exemple
A – Est-ce que tu te couches tôt?
B – Oui, souvent. /De temps en temps. /Non, jamais.

Est-ce que:	SOUVENT	DE TEMPS EN TEMPS	JAMAIS
tu te couches tôt?	a	b	c
tu manges trop?	d	c	a
tu te lèves tôt?	b	c	d
tu prends de l'exercice?	a	b	d
tu bois de l'alcool?	d	c	a
tu travailles très dur?	b	a	c
tu fais une promenade?	a	b	c
tu prends des médicaments?	d	b	a
tu profites de tes loisirs?	a	b	d
tu fumes?	d	c	a

Points: a = 3 points   b = 2 points   c = 1 point   d = 0 points

Évaluation: 25–30 points Tu mènes une vie exemplaire en ce qui concerne la forme et la santé.

15–24 points Tu fais un effort pour garder la forme.

0–14 points Attention! Tu risques d'avoir de graves problèmes de santé si tu ne t'occupes pas plus sérieusement de toi.

Ecris quelques bons conseils pour ton/ta partenaire, basés sur ses réponses!

Les horoscopes: pour ou contre?

 Ecoute la cassette. Les huit jeunes sont-ils pour ou contre les horoscopes?

Horoscope

Lis les horoscopes de ces jeunes puis lis les résumés ci-dessous.
Qui est de quel signe du zodiaque?

Exemple
Amélie = Balance

BALANCE
24 sept. – 23 oct.
Tu seras un peu confus.
Un peu de sport te fera du bien.
Le 18 sera un jour de chance.

SAGITTAIRE
23 nov. – 21 déc.
Tu supportes mal le train-train quotidien. Quelqu'un t'invitera à sortir. Accepte!
Tu te sentiras mieux!

VERSEAU
21 janvier – 18 février
Mars te donnera des énergies ce mois-ci.
Tu monopoliseras l'attention des amis.

SCORPION
24 oct. – 22 nov.
Tu t'entends mal avec tes amis. Tu auras peut-être des problèmes avec eux.
Montre un peu de patience avec tes amis et tout ira mieux.

CAPRICORNE
22 déc. – 20 janvier
Tout va bien! Tu es le chanceux du zodiaque! Tes projets réussiront, si tu as de la patience et de la confiance en toi.

POISSONS
19 février – 20 mars
Confiant en toi, tu auras tout pour réussir. Vers la fin du mois, tu recevras des nouvelles d'un ami très cher.

Amélie ne comprendra pas ce qui se passe. Elle devra profiter de ses loisirs ou faire du sport.

Si elle est patiente, Sylvie aura de la chance et tout ira bien pour elle.

Sara sera très populaire parmi ses copains et en pleine forme.

Michel s'ennuie dans la routine. Il sera invité quelque part par des amis.

Magali sera contente parce qu'elle sera très sûre d'elle. Elle va peut-être reprendre contact avec un bon copain.

Ahmed s'entendra mal avec ses copains. Il devra être plus patient avec eux.

☆ **A toi maintenant**
Ecris maintenant un horoscope pour quelqu'un de très bien connu!

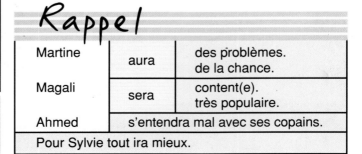

Rappel

Martine	aura	des problèmes. de la chance.
Magali	sera	content(e). très populaire.
Ahmed	s'entendra mal avec ses copains.	
Pour Sylvie tout ira mieux.		

Dans dix ans …

Mélanie : *je serai mariée et j'aurai des enfants.*

Martine : *je travaillerai à l'étranger.*

Mamadou : *je serai un chanteur pop riche et célèbre.*

Marc : *j'aurai ma maison à moi.*

Céline : *je serai n'importe où mais pas ici.*

Leila : *je serai mannequin.*

Jean-Pierre : *je jouerai au foot pour St. Etienne.*

Simone : *je serai religieuse dans un couvent.*

Martin : *je jouerai au tennis à Roland Garros.*

Simon : *je serai une grande vedette internationale.*

Et dans vingt ans?
Lis bien les réponses. Qui a dit quoi?

Exemple
1 = Mélanie
1 je m'occuperai toujours de mes enfants.
2 je serai Mère supérieure.
3 je serai toujours loin d'ici.
4 j'achèterai une plus grande maison.
5 je serai capitaine de l'équipe nationale.
6 j'aurai quatre chansons dans le hit parade.

7 je serai propriétaire d'une grande chaîne de magasins de vêtements de mode.
8 je retournerai dans mon pays avec une fortune.
9 je jouerai dans un film à Hollywood.
10 je gagnerai la coupe des champions à Wimbledon.

Copain, copain (Hélène)

1

On a eu dix ans ensemble
Toi en juin, moi en décembre
Tout le monde disait déjà
On les mariera.
On a passé notre enfance
Tous les deux comme en vacances
Tu sais parfois encore j'y repense.

(Refrain)
Copain, copain, je me souviens
Copain, copain, c'était si bien
On partageait toutes nos joies
Toutes nos peines.
Copain, copain, je te disais,
Main dans la main tous mes secrets,
Copain, copain, toi seul me comprenais.

2

A l'école du village
Nous n'étions pas vraiment sages,
Les profs disaient, ces deux-là
On les mariera.
Tu m'écrivais des poèmes,
Je crois que c'est en troisième,
Que tu les finissais par 'Je t'aime.'
(Refrain)

3

Et puis un jour tu es parti
Suivre tes études à Paris.
Un beau matin j'ai appris,
Tu t'es marié.
Je t'ai envoyé des fleurs
Et tous mes voeux de bonheur
Et puis j'ai laissé mourir mon cœur.
(Refrain ×2)

INTERPRETE: HELENE
AUTEUR: J.F. PORRY
COMPOSITEURS: J.F. PORRY/G. SALESSES
© 1989. ABEDITON

Bonnes résolutions

Alphonse, sa sœur et ses parents ont pris de bonnes résolutions au nouvel an. Voici leurs défauts. Ecris leurs résolutions.

Exemple

Défaut: Je ne suis pas assez sévère.
Résolution: Cette année, je serai plus sévère.

Dis la bonne aventure!

Dis la bonne aventure à ton/ta partenaire.

⌂ A faire chez toi

Prépare une réponse à ces questions, par oral ou par écrit.

Que fais-tu comme passe-temps?

Et pour te maintenir en forme?

Un bon copain, comment doit-il être selon toi?

Et ta famille, tu t'entends bien avec elle?

Quels sont tes qualités et tes défauts?

Qu'est-ce que tu feras peut-être dans dix ans?

Et dans vingt ans?

Pas vrai!

Les tombeaux

Dans les cimetières français on voit souvent des plaques comme ça.

Une grossesse sur 80 donne des jumeaux.

a

b

Une grossesse sur 6400 donne des triplés.

Une grossesse sur 512 000 donne des quadruplés.

c

Le calendrier magique

dim	lun	mar	mer	jeu	ven	sam
1	2	3	4	5	6	7
8	9	10	11	12	13	14
15	16	17	18	19	20	21
22	23	24	25	26	27	28
29	30	31				

Demande à un ami de choisir quatre dates dans ce calendrier: un mercredi, un jeudi, un vendredi et un samedi. Chacune doit être dans une semaine différente (par exemple, il peut choisir le mercredi 11, le jeudi 19, le vendredi 6 et le samedi 28). Quand il a choisi ses quatre dates, demande-lui de les additioner. Dis-lui que tu vas deviner le résultat: 64! C'est sûr qu'il sera surpris!

En fait, c'est très simple: dans ce carré, toute combinaison de quatre chiffres, chacun dans une colonne et une rangée différente, donnera 64!

Blague

– Moi, je ne suis pas superstitieux.
– Pourquoi pas?
– Ça porte malheur.

Casse-tête

Ces quatre symboles montrent les relations entre les personnes.

est le frère de   est la mère de   est le père de   est la sœur de

Trouve qui sont les grands-parents.

Jeanne Réjean   Jacques Denise

Martine Réjean   Gilles Denise

Luc Martine   Réjean Jacques

(Solution à la page 193)

Station service

Agreement of adjectives

179

Je suis	timide.	I am shy.
	extraverti(e).	I'm an extrovert.
Il est	généreux.	He is generous.
	embêtant.	He is annoying.
Elle est	généreuse.	She is generous.
	embêtante.	She is annoying.

jouer à (for sports), jouer de (for musical instruments)

Je joue	au tennis.	I play tennis.
	au foot.	I play football.
	de la flûte.	I play the flute.
	du piano.	I play the piano.

devoir

182

Un bon copain	doit	avoir les mêmes intérêts que toi.	A good friend must have the same interests as you.
	ne doit pas	être dans la même classe.	A good friend doesn't have to be in the same class.
Les jumeaux	ne doivent pas	forcément se ressembler.	Twins don't necessarily have to look like each other.

The imperative (tu form)

188

Fais	voir.	Let me see.
Arrête!		Stop it!
Montre	un peu de patience.	Show a bit of patience.
Ne le prends pas	au sérieux.	Don't take it seriously.

The imperative (vous form)

Prenez	beaucoup d'exercice.	Take lots of exercise.
Couchez-vous	de bonne heure.	Go to bed early.
Ne	fumez pas.	Don't smoke.
	mangez trop.	Don't overeat.

The future

185–6

Je	travaillerai	à l'étranger.	I'll work abroad.
	serai	mannequin.	I'll be a fashion model.
J'	aurai	des enfants.	I'll have children.
	seras	un peu confus.	You will be a bit confused.
Tu	te sentiras	mieux.	You will feel better.
	n'auras pas	faim?	Won't you be hungry?
Martine	aura	des problèmes.	Martine will have problems.
Magali	sera	contente.	Magali will be happy.
Tout	ira	mieux.	Everything will be better.
Nous	serons	dans la même classe.	We will be in the same class.
Vous	aurez	de la chance.	You will be lucky.
Tes projets	réussiront.		Your plans will succeed.

28 **vingt-huit**

Cherche correspondants

Recopie ces petites annonces en remplaçant les images par des mots choisis dans la liste ci-dessous. Attention! Il y en a quatre en trop.
Ecris ta propre annonce avec ces quatre mots.

Salut! J'ai 14 ans et j'aime la ![] et la ![]. J'adore les animaux, j'ai un ![] et une ![]. Qui veut m'écrire?

Jeune fille intelligente et sportive cherche correspondant(e) aimant l' ![] et le ![]. Je fais aussi la collection de ![]. Mon signe du zodiaque est ![].

Je joue du  ![] et j'adore la ![]. J'aime aussi les ![] et le ![]. Je voudrais correspondre avec garçons ou filles de 14–16 ans ayant les mêmes intérêts que moi.

violon   *natation*
lecture   *musique*   *foot*   *lapin*   *équitation*
ordinateurs   *Poissons*   *timbres*   *piano*
patin à roulettes   *tortue*   *perruche*   *cyclisme*   *ski alpin*

Cherche l'intrus

1	août	janvier	bélier	juillet
2	patin à glace	ski de fond	hockey sur glace	natation
3	gentil	embêtant	pénible	idiot
4	oncle	copain	cousine	tante
5	alcool	tabac	drogues	exercice
6	poisson	chien	cabane	perruche
7	extraverti	calme	tranquille	timide
8	peinture	lecture	échecs	judo

L'horoscope avait tort

Pour ces personnes, l'horoscope n'était pas du tout juste!
Fais correspondre les textes avec les dessins.

Exemple
A Gémeaux

Bélier
Tu auras de la chance!
Tu gagneras beaucoup d'argent.

Taureau
Tu recevras de bonnes nouvelles d'un vieil ami.

Gémeaux
Tu seras en pleine forme ce mois-ci.

Cancer
Tu réussiras à finir quelque chose qui t'occupe depuis longtemps.

Lion
Tu n'auras plus de problèmes avec tes parents. Tout ira mieux.

Vierge
Tu t'entendras mal avec ton petit ami ou ta petite amie.
Vous vous disputerez pour un rien.

Invente-en un autre toi-même et fais un dessin qui va avec!

Un bon conseil

Comment finir les phrases? Ecris les phrases complètes, puis fais un poster pour illustrer certaines de ces idées, ou bien d'autres.

Il ne faut pas trop	de l'exercice régulièrement.
Il ne faut pas	trop de matières grasses.
Il faut dormir	manger.
Il faut faire	boire trop d'alcool.
Il faut manger	au moins huit heures par jour.
Il ne faut pas manger	beaucoup de fruits et de légumes.

Du passé à l'avenir

Mets les mots et les expressions ci-dessous dans le bon ordre, en allant du passé vers l'avenir.

passé   maintenant   avenir

demain   *au dix-neuvième siècle*   *dans une heure*

la semaine dernière   *il y a dix ans*   *avant-hier*   *la semaine prochaine*

dans trois semaines   *hier*   *après-demain*   *l'année dernière*

dans vingt ans   *l'année prochaine*   *il y a quelques minutes*

Ma meilleure copine et moi

Laetitia décrit sa meilleure copine. Lis sa description, puis décide si les affirmations à côté du texte sont vraies ou fausses.

Valérie est ma meilleure copine depuis deux ans. On passe beaucoup de temps ensemble. Nous avons certaines choses en commun, mais pas toutes. Par exemple, d'habitude nous aimons toutes les deux les mêmes groupes et les mêmes chanteurs. Mais en ce qui concerne les vêtements, Valérie s'intéresse beaucoup plus que moi à la mode. Moi, je préfère les choses décontractées – des jeans, des pulls – tandis qu'elle, elle aime bien les marques. Moi, par contre, je dépense plus qu'elle sur le sport. Elle n'est pas très sportive, tandis que moi, j'adore la gymnastique, la natation, le volley – presque tout. Quand on est ensemble on parle de tout. Je lui confie tous mes secrets, mes problèmes, et Valérie fait la même chose. Elle sait tout sur moi! Cependant on n'est même pas dans la même année à l'école. Valérie a un an de plus que moi. En plus, elle a toujours de très bonnes notes, tandis que moi, je ne suis pas très forte à l'école. Si vous me demandez: "Pourquoi êtes-vous de si bonnes amies?", je ne sais pas vous répondre. Il y a quelque chose, je ne sais pas quoi. C'est comme ça!

Vrai ou faux?

1 Valérie et Laetitia ont le même goût en musique.
2 Elles ont le même goût pour les vêtements.
3 Elles s'intéressent toutes les deux aux marques.
4 Valérie s'intéresse plus que Laetitia au sport.
5 Elles n'ont pas de secrets l'une pour l'autre.
6 Elles ont le même âge.
7 Elles sont dans la même classe.
8 Valérie est meilleure élève que Laetitia.

Essaie d'écrire quelque chose sur toi et ton meilleur copain ou ta meilleure copine. Qu'est-ce que vous avez en commun? Et quelles sont les différences entre vous?

Roman photo

Je croyais que tu devais venir me voir hier. Tiens, c'est une carte d'anniversaire.

Merci. Je pensais venir mais… je ne pouvais pas. Je…

Je sais. Tu étais encore avec ce gosse. Je suppose qu'il t'aidait à faire tes devoirs?

Mais Luc, c'est pas ça.

Peut-être qu'on est ensemble depuis trop longtemps. Si on ne se voyait pas quelque temps?

Chez Fabienne.

C'est au deuxième étage.

Bonjour Mathieu.

Regarde ces belles boucles d'oreilles que m'a offertes Mathieu!

Tu vois, je suis seule depuis douze ans. Ce n'était pas facile pour moi. Mais je suis tellement contente de vous voir amis.

Quand on habitait en centre-ville elle avait des amis pas du tout sympas. Je m'inquiétais beaucoup. Maintenant elle est plus calme, plus positive. Mais il y a toujours une chose qui m'inquiète … Dis-moi —

Alors, qu'est-ce que vous en pensez?

Trois interviews

Voici des extraits de trois interviews.
Fabrice, Nadia et Guillaume
parlent de leurs domiciles.

Fabrice

Nadia

Guillaume

A

Relie ces quatre questions et les
réponses qui vont ensemble.

1 Où habites-tu?
2 Comment est-elle comme ville?
3 Tu y habites depuis longtemps?
4 C'est comment ta maison ou
ton appartement?

A A Toulouse,
dans le sud-ouest
de la France.

E Elle est
assez grande. Il y a des cinémas,
des centres sportifs et cetera. Pour les
sports d'hiver c'est bien parce que ce n'est
pas trop loin des Alpes. En été il fait
très chaud.

I A Valence,
dans le sud-est.

J Il est assez
grand, notre appartement.
C'est au premier étage d'un
vieil immeuble.

B Depuis cinq
ans. Avant on habitait à
Lyon. Je préfère Valence parce
que c'est plus petit.

F Toute ma
vie. Nous sommes une vieille
famille bretonne.

K C'est à
deux cents mètres du port.
C'est une vieille maison avec
un petit jardin.

C C'est une
très grande ville … une
des plus grandes villes
de France.

G C'est super.
D'abord, c'est un port. Il y a la
mer, il y a beaucoup de belles plages
tout près. Il y a toutes sortes
d'activités pour les jeunes.

L On habite
Toulouse depuis neuf
ans. Mais on habite ce
quartier depuis dix-huit
mois seulement.

D A Concarneau,
dans le nord-ouest de la
France, en Bretagne.

H C'est moderne.
C'est en banlieue, à dix minutes
du centre de Valence.

Concarneau

Valence

Toulouse

B

Ecoute la cassette pour vérifier tes
réponses. Qui habite où?

C

Vrai ou faux?
1 Nadia habite dans le sud de la France.
2 Elle y habite depuis dix-huit mois seulement.
3 Fabrice habite en Bretagne depuis toujours.
4 Il aime beaucoup la ville où il habite.
5 Guillaume habite à Lyon depuis cinq ans.
6 Sa ville est assez près des montagnes.

D

Maintenant travaille avec un(e) partenaire et fais
une interview. Sers-toi des quatre questions
qu'on a posées à Nadia, Fabrice et Guillaume.

J'habite

Ecoute la cassette et regarde le tableau. Qui parle?

Exemple

1 Maryse

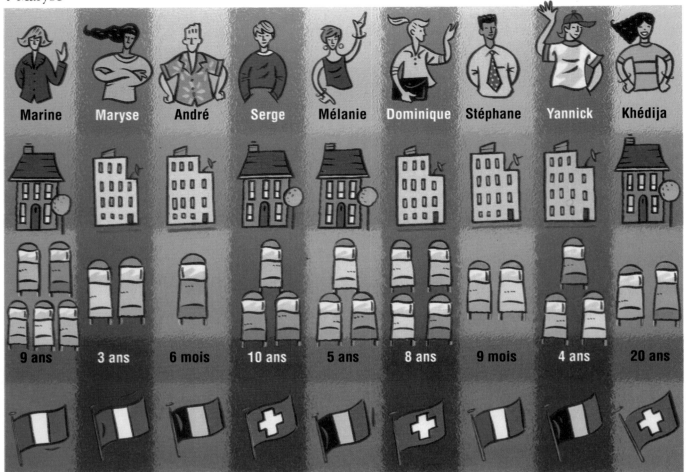

Marine	Maryse	André	Serge	Mélanie	Dominique	Stéphane	Yannick	Khédija
9 ans	3 ans	6 mois	10 ans	5 ans	8 ans	9 mois	4 ans	20 ans

A deux!

Travaille avec ton/ta partenaire. Choisis une des personnes ci-dessus et demande à ton/ta partenaire de deviner qui tu es. Réponds par 'oui' ou 'non' à chaque fois.

Exemple

A – J'ai choisi.
B – Tu habites en France?
A – Non.
B – En Belgique?
A – Non.
B – Tu habites une maison en Suisse?
A – Oui.
B – Tu y habites depuis vingt ans?
A – Non.
B – Tu es Serge?
A – Oui.

Légende

maison   appartement

chambre   France

Belgique   Suisse

Rappel

Où habites-tu?				
Tu y habites depuis combien de temps?				
J'habite	en	France Belgique Suisse	depuis	cinq ans. six mois. longtemps.

Mon appartement ... ma maison

Regarde les dessins et recopie les textes en remplaçant les blancs par les prépositions ci-dessous. (Tu peux les utiliser deux fois, si tu veux.)

Moi, j'habite _____ une maison en ville. C'est une maison qui est _____ la route principale. J'habite _____ une station service. _____ il y a un immeuble et _____ il y a des magasins. Il y a un grand jardin _____ la maison. _____, il y a une petite pelouse.

Moi, j'habite dans un grand immeuble _____ une zone urbaine où il y a beaucoup d'immeubles. J'habite au septième étage. _____ l'immeuble il y a une aire de jeux. Il y a aussi un parking _____. _____ l'immeuble il y a des magasins et une espèce de petit centre commercial. L'immeuble est situé _____ une grande route.

sur   en face d'   dans   devant   d'un côté   de l'autre côté   près d'   derrière   à côté de

Maintenant, écoute la cassette pour vérifier tes réponses.

Préfères-tu la ville ou la campagne?

Ecoute la cassette. Neuf jeunes donnent leur opinion. Qui préfère la ville et qui préfère la campagne? Puis lis les extraits et identifie les prénoms qui manquent dans les descriptions ci-dessous.

> Moi, je préfère la ville. C'est beaucoup plus animé. Il y a beaucoup plus de choses à faire. La campagne, c'est ennuyeux. C'est mortel la campagne.
>
> **Sophie**

> J'habite à la campagne, et j'en suis très heureuse. Mais la plupart de mes amis habitent en ville.
>
> **Esther**

> J'ai la chance de vivre à la campagne... Pourtant, de temps en temps, j'ai envie d'aller à la ville. C'est différent.
>
> **Pierre**

> A la campagne on est très isolé et c'est très difficile de voir ses amis. Vraiment, le transport, c'est un problème. Je préférerais habiter en ville ... pour sortir plus souvent.
>
> **Cécile**

> La ville, c'est trop bruyant, c'est sale, il y a énormément de pollution. Il y a beaucoup d'embouteillages et beaucoup de violence.
>
> **François-Xavier**

> Je préfère habiter à la campagne parce que c'est plus tranquille. Les gens dans un village sont moins stressés... moins pressés.
>
> **David**

> J'adore la ville. J'aime me balader en regardant les vitrines cool. J'adore l'ambiance du métro.
>
> **Loubéna**

C'est qui?

1 _____ n'aime pas la ville et trouve qu'il y a trop de voitures.
2 _____ adore sortir en ville.
3 _____ trouve que c'est trop violent en ville.
4 _____ habite à la campagne et a des problèmes de transport.
5 _____ trouve que la campagne n'est pas du tout intéressante.
6 _____ aime la ville *et* la campagne.
7 _____ trouve que la vie du village est moins stressante.
8 _____ habite à la campagne mais a beaucoup de copines et copains en ville.

☆ A toi maintenant

Et toi? Qu'est-ce que tu préfères: la ville ou la campagne? Pourquoi? Il doit y en avoir quelques inconvénients quand même. Lesquels? Ecris quelques lignes sur ce sujet.

Vive la différence!

> Oui, c'est pollué. Oui, c'est sale.
> Tout ça, je le sais. Ça m'est égal.
> Pas fait pour moi un champ tranquille!
> Choisis la vie – choisis la ville!

> Une promenade dans la nature:
> c'est là l'espace, le calme, l'air pur.
> Garde ta banlieue infernale!
> La vraie vie – c'est la vie rurale!

Rappel

Je	préfère n'aime pas	la ville. la campagne.
C'est	moins plus	stressant. tranquille. animé.
Il y a	des problèmes de transport.	
	trop de	voitures. pollution.

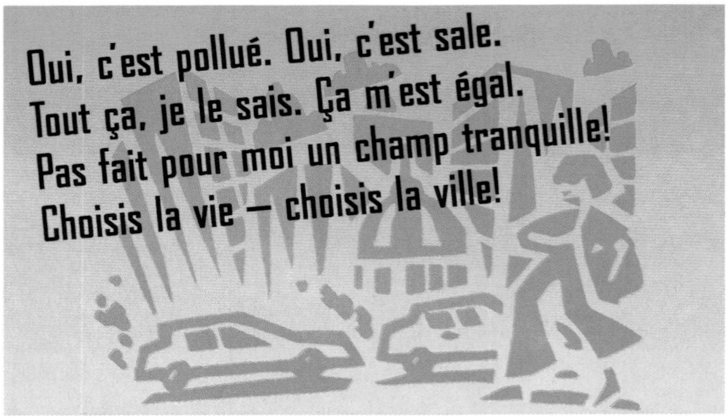

Mon pays, le Maroc

Ces jeunes attendent l'arrivée des bateaux de pêche

☪ Capitale: Rabat.

☪ Population: 25,7 millions d'habitants (sans doute le double, d'ici l'an 2020) dont 50% a moins de 20 ans.

☪ Le nombre de chômeurs est énorme. Un million de Marocains travaillent à l'étranger, surtout en Europe de l'Ouest (575 000 en France)

☪ Royaume gouverné par le roi Hassan II. Son portrait est partout, jusqu'au fond de la moindre boutique.

☪ Langues: l'arabe (langue officielle), le berbère, le français.

☪ Religion: L'islam. Officiellement, presque tous les Marocains pratiquent la religion musulmane. Le roi du Maroc se proclame descendant du prophète Mahomet.

☪ Monnaie: Le dirham.

☪ Economie: Ses principales ressources sont les phosphates, l'argent, les oranges, les sardines, les textiles et le tourisme. Aujourd'hui, le roi aimerait associer son pays à l'Union Européenne. 'Le Maroc est un arbre dont les racines sont en Afrique et les branches en Europe.'

Au cœur du quartier populaire

Pour chacune de ces phrases, trouve la partie du texte qui correspond.

Exemple
1 '25,7 millions d'habitants (sans doute le double, d'ici l'an 2020).'

1 La population augmente très vite.
2 C'est un pays de jeunes.
3 Beaucoup de gens quittent leur pays pour chercher du travail.
4 Le roi est très respecté.
5 Le roi joue un rôle important dans la religion.
6 Le roi a des ambitions modernes pour son pays.

Le Maroc, c'est quoi, pour vous?

Des élèves au collège Honoré-de-Balzac ont dit:

'Le Maroc est un pays splendide, avec des paysages, des coutumes et des monuments uniques.'

'Le Maroc est un beau pays que j'adore.'

'Le ciel est presque toujours bleu: c'est le paradis sur Terre!'

'Le Maroc reste sous-développé, il y a beaucoup d'inégalités entre les classes sociales.'

'Ici, on accueille bien les étrangers.'

'Le Roi.'

'L'islam, le soleil et la beauté du pays.'

'Un pays traditionnel. Les jeunes y sont trop protégés.'

Lesquelles de ces opinions sont positives? Lesquelles sont plutôt critiques? Et si on te demandait: 'C'est quoi, pour toi, ton pays?' Ecris ta réponse!

Avant, c'était différent

Ces trois jeunes ont déménagé. Ils parlent d'où ils habitent maintenant et de
là où ils habitaient avant. Lis les textes et réponds aux questions en face.

Aurélie

Maintenant j'habite à Pointe-à-Pitre
à la Guadeloupe mais avant j'habitais
près de Lille en France, près de la frontière
belge. J'habite en Guadeloupe depuis deux
ans et c'est vraiment très différent. En France,
le temps était très changeant. Il y avait
beaucoup de pluie et souvent il y avait
du vent mais quelquefois il faisait beau
et chaud pendant l'été. L'hiver, il faisait
toujours froid. Alors qu'à la Guadeloupe,
le temps est complètement différent et
beaucoup plus agréable. Il fait chaud toute
l'année. En été, il fait même très chaud.
À Pointe-à-Pitre, il y a vraiment beaucoup
de choses à faire. On peut aller sur la plage
et puis il est possible de pratiquer plein
de sports nautiques, de la voile, de la planche
à voile … À Lille il y avait plus de clubs,
mais il n'y avait rien comme ça.

Rachid

Avant, j'habitais à Tunis. On avait
une maison là-bas. Maintenant
j'habite dans un immeuble à Paris.
Enfin, près de Paris, à St. Denis
exactement. J'avais l'habitude de
beaucoup d'espace à Tunis. Par
exemple, j'avais ma propre chambre
et puis il y avait un grand jardin.
Maintenant je dois partager une
chambre avec mon frère et puis, on
n'a plus de jardin. Mais, bon, il y
a des jardins publics pas loin de
chez nous. A Tunis, le soir, je
sortais avec mes copains, j'allais
dans les cafés ou j'allais me
balader. A Paris aussi il y a
beaucoup de choses à faire mais
c'est plus cher. Ce que je n'aime
pas ici, c'est qu'il fait souvent
très froid.

Avant, nous habitions au Sénégal parce que mon père travaillait là-bas. Il est ingénieur. Au Sénégal, j'allais dans un lycée français. La plupart de nos voisins étaient français. Moi, je suis suisse. Là-bas, j'aimais bien aller au marché. J'allais très souvent au marché parce que j'aimais bien regarder tout ce qu'il y avait. Et puis, presque tous les jours après les cours au lycée, on allait sur la plage. Maintenant j'habite à Lausanne, depuis six mois. Le climat surtout est très différent. Il fait beaucoup moins chaud, mais ici par contre on peut faire du ski. Et puis le mode de vie de la Suisse et celui du Sénégal sont très différents. Au Sénégal, tout était très décontracté. La vie était plus calme. Tandis qu'ici tout est toujours réglé, très bien organisé.

Joël

C'était où? En France? En Tunisie? Au Sénégal?
 1 Il y avait des marchés intéressants.
 2 Les choses étaient moins chères.
 3 Il pleuvait beaucoup.
 4 Il faisait froid en hiver.
 5 On habitait une maison avec un grand jardin.
 6 Il n'y avait pas toutes les activités en plein air.
 7 Je me promenais souvent en ville avec mes amis.
 8 J'allais me baigner après l'école.
 9 Je me sentais très à l'aise.
10 Un jour il pleuvait et le lendemain il faisait beau.

Rappel

	PRESENT Maintenant/En ce moment:			IMPARFAIT PAST Avant:		
1 J'	habite	à Paris.		J'	habitais	en Tunisie.
2 C'	est	bien.		C'	était	bien.
3 Il	fait	beau en été.		Il	faisait	beau tout le temps.
4 Il	pleut	en hiver.		Il	pleuvait	très peu.
5 Il y	a	beaucoup de choses à faire.		Il y	avait	beaucoup de choses à faire.
6 On	a	un appartement dans un immeuble.		On	avait	une maison en centre-ville.

Les rues

Ecoute les gens qui disent où ils habitent. Ce sont les points marqués A, B, C etc. sur le plan. Ecris une lettre pour chacun.

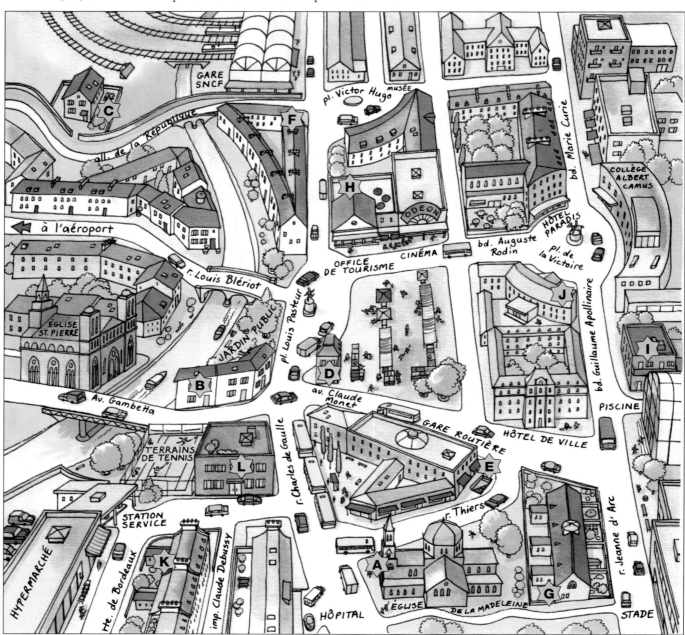

Travaille à deux. Dis où tu habites *sans nommer la rue même*. Ton/ta partenaire doit trouver où c'est sur le plan.

Exemple

A –J'habite en face du collège.
B – C'est là, J.

🏠 **A faire chez toi**

Prépare une réponse à ces questions, par oral ou par écrit.

C'est comment, ta maison ou ton appartement? Tu y habites depuis longtemps? Sinon, où habitais-tu avant? C'était très différent? Et toi, tu préfères la ville ou la campagne?

Pas vrai!

Un peu d'histoire

C'est vrai ou faux? Si tu ne le sais pas, devine!

1 En 1890 il n'y avait pas de voitures.

2 En 1940 il n'y avait pas de stylo à bille.

3 En 1954 il n'y avait pas de micro-ondes.

4 En 1910 il n'y avait pas de feux rouges.

5 En 1940 il n'y avait pas de 'Rock 'n roll'.

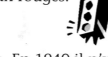

6 En 1950 il n'y avait pas de télévision couleur.

7 En 1907 il n'y avait pas de cornflakes.

8 En 1982 il n'y avait pas de baladeur.

9 En 1930 il n'y avait pas de Mickey Mouse.

10 En 1940 il n'y avait pas d'ordinateurs.

11 En 1880 il n'y avait pas de téléphones.

12 En 1902 il n'y avait pas d'avions.

(Solution à la page 193)

Blague

Un homme se présente chez un marchand d'animaux.

– Je voudrais deux douzaines de souris, une douzaine de cafards et quelques araignées.

– C'est pour faire des expériences?

– Non, mais je déménage et on m'a demandé de laisser l'appartement comme je l'ai trouvé.

Poème

Avant, je rigolais
Maintenant je rigole pas

Avant, il y avait nous
Maintenant il n'y a que moi

Avant, il faisait beau
Maintenant il fait tout gris

Avant, il y avait toi
Maintenant tu es partie

Avant, c'était couleurs
Maintenant c'est noir et blanc

Avant, il y avait demain
Maintenant il n'y a qu'avant.

Station service

Depuis

Tu habites là	depuis	longtemps?		

Have you lived there long? **192**

J'habite	ici	depuis	deux ans.
	en Suisse		longtemps.

I've lived here for two years.
I've lived in Switzerland for a long time.

Prepositions

Notre maison est	près	de la gare.
	à côté	du parc.

Our house is near the station. **190**
Our house is next to the park.

Notre appartement se trouve	en face	de l'église.
	à cent mètres	des magasins.

Our flat is opposite the church.
Our flat is 100 metres from the shops.

Comparison of adjectives

La vie est	plus	animée	en ville.
	plus	tranquille	à la campagne.
	moins	stressée	à la campagne.

Life is livelier in town. **180**
Life is quieter in the country.
Life is less stressful in the country.

The imperfect tense

Avant,	j'habitais	en Tunisie.
	tu habitais	où?
	on avait	un grand jardin.

Before this, I used to live in Tunisia. **184**
Where did you live before?
Before, we had a big garden.

Là-bas	il faisait	beau toute l'année.
		très froid en hiver.
	il y avait	beaucoup de choses à faire.
		trop d'embouteillages.

It was fine there all year.
It was very cold there in winter.
There were lots of things to do there.
There were too many traffic jams there.

Avant,	nous avions	une maison en banlieue.
	nous habitions	à la Guadeloupe.

Before, we had a house in the suburbs.
We lived in Guadeloupe before.

Vous étiez	contents là-bas?
Tes parents étaient	

Were you happy there?
Were your parents happy there?

Pendant les vacances

Regarde les dessins et écris les phrases.

Exemple

Quand il faisait beau,
j'allais à la plage.

Quand il faisait du vent, …

Quand il neigeait, …

Quand il faisait froid, …

Quand il pleuvait, …

Quand il faisait du soleil, …

… je faisais du ski.

… je restais à la maison.

… je promenais le chien.

… je mettais mon anorak.

… je faisais de la voile.

Questions et réponses

Relie les questions et les réponses.

1 Quel temps faisait-il?

2 Quel temps fait-il en général en été?

3 Tu habites où?

4 Tu préfères la ville?

5 Elle est comment, ta ville?

6 C'est isolé où tu habites?

7 Tu aimes le calme à la campagne?

8 Tu habites Paris depuis longtemps?

A Oui, donc j'ai des problèmes de transport.

B Non, la campagne.

C C'est sale … c'est trop bruyant.

D Au Maroc.

E Il y avait beaucoup de pluie.

F Il fait très chaud.

G Oui, toute ma vie.

H Oui, j'aime beaucoup ça.

Notre ancien appartement

Remplis les blancs en choisissant parmi les verbes ci-dessous.

Avant j'_____ dans un grand appartement, au troisième étage d'un immeuble. L'appartement _____ très grand et il y _____ cinq pièces.

Il y avait un grand balcon aussi. Je _____ souvent sur le balcon quand j'_____ petit. Je _____ même du patin à roulettes sur le balcon! Toutes les pièces _____ sur un grand parc, alors on _____ des arbres. Quelquefois on _____ dans le parc quand il _____ beau.

faisais   *donnaient*   *allait*   *voyait*   *habitais*
était   *faisait*   *avait*   *jouais*   *étais*

Une vie

Regarde ces photos prises au cours de la vie de Madeleine Cabanes.
Relie les textes et les photos.

Exemple

1 D

Puis fais une liste des photos dans un ordre chronologique avec
les bonnes dates à côté. Commence par: **7** 1930.

A Ça, c'étaient nos chiens. C'est moi au milieu. C'était en mille neuf cent trente-cinq.

B Celle-là, avec la remorque, c'était l'été mille neuf cent cinquante-neuf. Voilà mon mari.

C Ça, c'était le mariage de ma fille Elisabeth en mille neuf cent soixante-dix-huit.

D C'est moi à gauche. On était au bord de la mer. C'était en mille neuf cent trente-neuf, juste avant la guerre.

E Là j'avais deux ans. C'était donc en mille neuf cent trente.

F Ça, c'était mon mariage en mille neuf cent cinquante-quatre. Il faisait beau, ce jour-là!

G Ça, c'est moi avec Hugues, le troisième bébé d'Elisabeth, en mille neuf cent quatre-vingt-dix.

H Ça, c'était en mille neuf cent cinquante. J'étais à Paris avec mes trois copines. On travaillait ensemble.

I Et ça, ah oui, c'était en quarante-six. On faisait beaucoup de vélo. J'avais dix-huit ans.

Sens ou non-sens?

1 J'ai seize ans. J'habite Paris depuis treize ans. Quand j'étais petite, j'habitais en Afrique. Le climat était super, mais le collège n'était pas si bien qu'ici.

4 Il y a deux ans j'habitais dans le sud-ouest de la France, à Bordeaux. Il y avait beaucoup de choses à faire. Je sortais avec mes amis. On allait au cinéma et dans les cafés.

2 J'habitais la Belgique quand j'avais douze ans. Le temps était vraiment très changeant. Il pleuvait tous les jours.

5 Quand j'avais cinq ans, j'habitais Brazzaville. Mon père et ma mère travaillaient là-bas. On habitait un appartement au cinquième étage d'un immeuble. Il n'y avait pas de jardin. Je jouais sur le balcon.

3 Quand j'étais petit j'habitais une grande maison à la campagne. Il y avait un grand jardin derrière la maison avec une piscine. J'aimais beaucoup me baigner.

6 J'habite à Bruxelles depuis dix ans. Quand j'étais petite, on habitait dans le sud de la France, à Uzès. Il faisait très beau presque toute l'année. En été on ne sortait jamais sans parapluie.

Personnages célèbres

En France les rues portent souvent le nom d'un personnage célèbre. Lis ces descriptions de personnages français célèbres. Leurs initiales sont données à chaque fois. Quel texte décrit quel personnage? Trouve les bons noms sur le plan de la ville à la page 40.

Exemple
1 Victor Hugo

1 V.H. Cet écrivain français, auteur des 'Misérables', était peut-être l'écrivain le plus célèbre du dix-neuvième siècle.

2 M.C. Cette physicienne française, née en Pologne, était responsable avec l'aide d'Henri Becquerel de la découverte de la radioactivité.

3 G.A. Ce poète français, qui habitait Paris, faisait partie de l'avant-garde avec son ami Picasso.

4 L.B. Cet homme était aviateur français. Il était le premier, le 25 juillet 1909, à traverser la Manche, de Calais à Douvres, en avion.

5 C.d.G. Ce général célèbre de l'armée française était l'un des plus grands Présidents de la République Française.

6 J.d'A. Cette jeune fille sainte, brûlée au bûcher à l'âge de 19 ans, était une femme de guerre célèbre et une héroïne de la France. Elle a gagné des batailles contre les Anglais.

7 C.M. Ce peintre préférait travailler en plein air et pas dans un atelier. C'était un des grands peintres 'impressionnistes'.

8 L.P. Cet homme était chimiste et biologiste français. Il était inventeur du système de pasteurisation du lait, de la bière et du vin.

A toi. Cherche dans une encyclopédie les autres noms de personnages célèbres nommés sur le plan et écris ce qu'ils étaient. Par exemple: Albert Camus était écrivain.

Roman photo

Qu'est-ce que tu as?

Je viens de voir la conseillère d'orientation.

Tu sais que j'aimerais devenir infirmière. Eh bien, elle dit que ma moyenne n'est pas assez bonne pour ça.

Que ferais-tu à ma place?

Je travaillerais comme un fou.

Ecoute. Si tu venais chez moi mercredi? On pourrait réviser ensemble pour le contrôle de sciences nat.

Mercredi après-midi.

Mathieu dit que tu voudrais être infirmière. Tu sais que lui, il va faire un stage au journal.

Tu n'aurais pas le droit de regarder les opérations dans un hôpital, mais pourquoi ne ferais-tu pas ton stage dans une clinique vétérinaire? Tu sais que ma femme est vétérinaire. Je suis sûr qu'elle pourrait arranger quelque chose.

Merci. Ça serait fantastique.

Ils travaillent ensemble et puis …

Oh là! Je viens de remarquer l'heure. Il faut que je rentre.

Je pensais que tu resterais un peu.

Oui mais … il y a quelque chose que je dois faire en ville.

Il y a toujours quelque chose. Ou serait-ce plutôt quelqu'un?

Une semaine à l'école

Regarde l'emploi du temps et écoute la cassette. On est quel jour?

A toi maintenant. Travaille avec ton/ta partenaire.

Exemple

A – J'ai anglais maintenant et je viens d'avoir français. On est quel jour?

B – Lundi.

	lundi	mardi	jeudi	vendredi	samedi
8h30	français	maths	E.P.S.	maths	étude/orientation
9h30	anglais	anglais	E.P.S.	anglais	maths
10h30	sciences nat.	éd. civique	musique	étude	français
11h30	allemand	allemand	étude	allemand	physique
14h00	maths	E.P.S.	techno	français	
15h00	physique	E.P.S.	techno	histoire-géo	
16h00	dessin	histoire-géo	français	sciences nat.	

Qu'est-ce qu'ils viennent d'avoir?

Dis ce qu'ils viennent d'avoir comme cours, ou ce qu'ils viennent de faire.

Exemple

1 Elle vient d'avoir techno. Elle vient de faire …

Le bahut

Voici des aspects importants de la vie au collège en France.
Relie les mots et les définitions. Sers-toi du vocabulaire!

A C'est un test dans une matière. On en fait beaucoup en France.

B Chaque élève en a un. On y marque ses notes. Les professeurs y écrivent ce qu'ils veulent communiquer aux parents.

C Une punition pour un élève qui se comporte mal – il reste à l'école après la fin des cours.

D A la fin du trimestre les professeurs écrivent sur cette fiche les notes et des commentaires pour chaque matière.

E C'est là où tu vas si tu as une heure de libre entre deux cours.

F C'est une présentation orale devant la classe sur un thème donné. On la fait souvent à deux.

1 un bulletin scolaire
2 un contrôle ou une interrogation
3 un carnet de correspondance
4 une retenue
5 un exposé
6 une salle de permanence ou une salle d'étude

Rappel

Je viens	d'avoir maths.
Il/Elle vient	de jouer au tennis.
Ils/Elles viennent	de manger.

Comment est ton école?

Voici une lettre de Mamadou qui habite en Afrique. Sa classe est jumelée avec une classe au Québec. Comme le Tchad a longtemps été colonisé par la France, les Tchadiens apprennent souvent le français à l'école.

Lis la lettre et réponds aux questions ci-dessous.

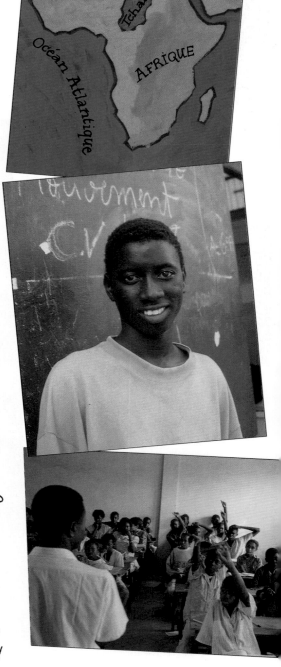

Cher Antoine,

Je viens de recevoir ta lettre. J'ai bien aimé et je suis content d'y répondre; cela me permet d'utiliser mon français.

J'habite un petit village du Tchad, en Afrique. Mes parents sont cultivateurs. Ils cultivent du coton, des légumes et des céréales.

Dans mon village, tout le monde est très fier de l'école. Les villageois ont construit l'école eux-mêmes au centre du village avec de gros blocs de ciment.

Quand je suis né, presque personne ne savait lire ni écrire dans le village. Nous étions très pauvres et souvent pendant la saison sèche il n'y avait pas grand-chose à manger. Beaucoup d'enfants mouraient très jeunes.

C'est mon père qui a peint le tableau avec une peinture noire spéciale. Dans mon école, il n'y a qu'une seule classe. Le professeur s'occupe d'un petit groupe pendant que les autres élèves travaillent tous seuls.

Tous les jours, on fait un peu de jardinage dans le potager de l'école. Deux fois par semaine on prépare le repas du midi.

Tu as de la chance d'avoir un ordinateur. Ici, nous n'en avons pas car il n'y a pas d'électricité au village, mais mon professeur en a vu à la ville et il nous en a parlé.

Tu sais toute ma famille va à l'école. Au début, mes parents ont pris des cours du soir pour apprendre à lire, à écrire et à compter.

J'ai hâte de recevoir ta prochaine lettre. J'aimerais que tu me parles de la neige. Ici, il n'y en a pas... sauf à la ville, dans les réfrigérateurs électriques. À bientôt!

Mamadou.

1 Où habite Mamadou exactement?
2 Que font les parents de Mamadou dans la vie?
3 Qu'est-ce qu'ils cultivent?
4 Qui a construit l'école?
5 Pourquoi les enfants mouraient-ils très jeunes auparavant?
6 Où se trouve l'école?
7 Il y a combien de professeurs?
8 Il n'y a pas d'ordinateurs. Pourquoi?

Quelles sont les différences entre l'école de Mamadou et ton collège?
Travaille avec ton/ta partenaire et dresse une liste.

Exemple

Dans notre école

Il y a …
Il n'y a pas …

Dans l'école de Mamadou

Il y a …
Il n'y a pas …

Le blues du businessman · (de l'opéra rock *Starmania*) ·

J'ai du succès dans mes affaires
J'ai du succès dans mes amours
Je change souvent de secrétaire

J'ai mon bureau en haut d'une tour
D'où je vois la ville à l'envers
D'où je contrôle mon univers

J'passe la moitié d'ma vie en l'air
Entre New York et Singapour
Je voyage toujours en première

J'ai ma résidence secondaire
Dans tous les Hiltons de la terre
J'peux pas supporter la misère

Au moins es-tu heureux?

J'suis pas heureux mais j'en ai l'air
J'ai perdu le sens de l'humour
Depuis que j'ai le sens des affaires

J'ai réussi et j'en suis fier
Au fond je n'ai qu'un seul regret
J'fais pas c'que j'aurais voulu faire

Qu'est-ce que tu veux, mon vieux!
Dans la vie on fait ce qu'on peut
Pas ce qu'on veut

J'aurais voulu être un artiste
Pour pouvoir faire mon numéro
Quand l'avion se pose sur la piste
A Rotterdam ou à Rio

J'aurais voulu être un chanteur
Pour pouvoir crier qui je suis
J'aurais voulu être un auteur
Pour pouvoir inventer ma vie
Pour pouvoir inventer ma vie

J'aurais voulu être un acteur
Pour tous les jours changer de peau
Et pour pouvoir me trouver beau
Sur un grand écran en couleur
Sur un grand écran en couleur

J'aurais voulu être un artiste
Pour avoir le monde à refaire
Pour pouvoir être un anarchiste
Et vivre comme un millionnaire
Et vivre comme un millionnaire

J'aurais voulu être un artiste
Fa-da-li fa-da-la
Pour pouvoir dire pourquoi j'existe

"BLUES DU BUSINESSMAN"
INTERPRÈTE: CLAUDE DUBOIS
ÉCRITE PAR LUC PLAMONDON ET MICHEL BERGER
© POLYGRAM MUSIC PUBLISHING LTD
LYRICS REPRODUCED BY KIND PERMISSION OF
THE PUBLISHERS

Les responsables dans un collège français

Voici les personnages qui travaillent dans un collège français.

Le principal

C'est 'le capitaine', 'le chef', 'le patron', 'le big boss' ou tout simplement 'Monsieur'. Il dirige le collège. Il est responsable de tout. Il réunit les conseils de classe chaque trimestre. C'est un peu le chef d'orchestre.

Le conseiller d'éducation

Il s'occupe de beaucoup de choses. Il s'occupe de la discipline. Il règle tous les petits problèmes. Tu vas chez lui s'il y a un problème avec un professeur. Si tu es en retard tu dois passer dans son bureau prendre un papier, sinon le professeur ne t'acceptera pas en classe.

Le surveillant

On les appelle 'les pions'. Un surveillant est un étudiant de 19 à 23 ans qui gagne de l'argent pour payer ses études en surveillant les élèves dans les salles de permanence.

La conseillère d'orientation

Elle te renseigne sur tous les métiers qui existent, toutes les études possibles. Si tu ne sais pas ce que tu veux faire dans la vie, tu peux aller la voir à tout moment.

La documentaliste

Elle travaille dans le CDI (Centre de Documentation et d'Information). Elle t'aide à trouver les livres, les articles de journaux et à chercher une information pour faire un devoir ou un exposé.

L'infirmière

Elle s'occupe de toi si tu es malade ou si tu te fais mal.

C'est lui qui est responsable de tous les aspects matériels du collège … s'il y a une chaise cassée, des graffitis sur le mur du collège. Il faut lui dire si tu remarques quelque chose d'anormal.

L'intendant

Complète ces phrases en décidant qui tu irais voir dans chaque situation.

1 Si j'arrivais en retard, j'irais voir …
2 Si j'étais malade, …
3 Si j'avais besoin d'informations pour un projet, …
4 Si je voulais me renseigner sur les métiers, …
5 Si j'étais en permanence et que j'avais un problème avec mes devoirs, …
6 Si je cassais une vitre par accident, …

Va voir le conseiller d'éducation

 Ecoute ces six jeunes au collège.
Quel conseil donnerais-tu à chacun?

Exemple
1 Va voir le conseiller d'éducation.

Mon prof idéal

🎞️ Voici des jeunes qui parlent de leur professeur idéal.
Ecoute la cassette et suis le texte.

Yannick
Mon prof idéal serait intéressant et agréable. Quelqu'un qui ne serait pas trop sévère mais qu'on pourrait respecter.

Mon prof idéal serait sympa mais en même temps saurait me faire travailler.
Iris

Stéphane
Quelqu'un qui serait juste par exemple … quelqu'un qui n'aurait pas toujours des élèves préférés dans la classe ou des gens qu'il n'aime pas.

Nicolas
Pour moi, le professeur idéal serait un homme jeune entre 20 et 30 ans, qui serait cool dans son habillement et aussi avec les élèves. Il aurait de l'humour aussi.

Florence
Pour moi, un prof idéal serait quelqu'un de pas trop laid, de 20 à 30 ans, qui plaisanterait beaucoup, quelqu'un qui serait de temps en temps un peu sérieux. Enfin, il devrait s'occuper aussi bien des bons élèves que de ceux en difficulté.

Claire
Je trouve qu'un bon prof devrait être patient. Pour moi, le professeur idéal serait une femme. L'âge m'importe peu.

Stéphanie
Mon prof idéal devrait avoir un peu d'autorité mais pas trop. Il ou elle me ferait aimer la matière qu'il enseigne.

Kitzie
Pour moi, le prof idéal saurait se faire respecter par ses élèves. Il donnerait souvent la parole aux élèves.

Pierre-Paul
Pour moi, un bon prof devrait surtout être jeune dans sa tête et pourrait faire son cours dans la bonne humeur, tout en se faisant respecter par sa classe. Peu importe l'âge, l'important serait que le courant passe entre lui et ses élèves.

A

Qui pense que les catégories suivantes sont importantes?

1 âge
2 sexe
3 apparence physique
4 vêtements
5 discipline

Quelles autres qualités sont mentionnées?

B

Et toi? Comment serait ton prof idéal? Forme d'autres phrases toi-même. Voici quelques idées.

Exemple
Mon prof idéal arriverait toujours à l'heure.

parler clairement
arriver toujours à l'heure
expliquer bien les choses
écrire lisiblement
nous permettre de manger en classe
porter des vêtements chics
ne jamais crier
apprendre tout de suite nos prénoms
comprendre nos difficultés
se servir beaucoup de la télé
ne pas aller trop vite
ne pas demander trop

Rappel

Comment serait ton professeur idéal?			
Mon prof idéal	serait	intéressant.	
		quelqu'un	qu'on pourrait respecter. qui saurait me faire travailler.
	n'aurait pas	d'élèves préférés.	
	devrait	être patient.	
	donnerait	souvent la parole aux élèves.	

Les notes

Voici Agathe qui parle des notes en France.

En France toutes les notes sont sur vingt. Donc, ça permet de connaître tout de suite la moyenne. C'est très important de savoir si on est en-dessous de la moyenne ou au-dessus de la moyenne. Une bonne note, c'est à partir de seize mais en général si on obtient la moyenne on est content, et si on a à partir de douze c'est bien. A la fin de l'année si on a de mauvaises notes il faut redoubler. Redoubler, ça veut dire que, si à la fin de la cinquième par exemple, on n'a pas de bonnes notes dans toutes les matières, on est obligé, au lieu de passer en quatrième, de recommencer en cinquième et de tout refaire.

Moi, je n'ai jamais redoublé, heureusement, mais dans chaque classe, en général, il y a au moins trois ou quatre redoublants. Quelquefois il y a des élèves qui redoublent qui décident de tirer le maximum de la deuxième année et quelquefois il y en a d'autres qui ne travaillent pas. En troisième on peut avoir des élèves de 14 ans à 17 ans dans la même classe.

C'est juste?

1 Dix-sept est une bonne note.
2 On a des problèmes si on a des huits ou neufs.
3 Un élève qui a de mauvaises notes ne redouble pas.
4 Il faut avoir une bonne moyenne pour passer dans la classe supérieure à la fin de l'année.
5 Tous les élèves dans une classe ont à peu près le même âge.
6 Quelques redoublants travaillent bien.

C'est pas terrible!

Patrick et son père parlent de son bulletin scolaire. Ecoute la conversation et:

a écris ses notes dans chaque matière;
b note les explications de Patrick;
c écris ce que son père lui avait promis s'il avait de bonnes notes.

Bulletin scolaire

Disciplines	Notes sur 20	Moyenne de la classe	Appréciations et recommandations des professeurs
FRANÇAIS			
Orthographe	10	10,5	Peut mieux faire
Grammaire	10	11	
Comp. Franç	9	10,5	
M. Clement			
LANGUE VIVANTE I			
Anglais	9	12	Insuffisant
M. Cappelle			
LANGUE VIVANTE II			
Espagnol	11	11	Satisfaisant
M.me Fourmer			
HISTOIRE GEOGRAPHIE	10	12	Ne doit pas se décourager
M. Guimard			
EDUC. CIVIQUE	8	10,5	Doit faire plus d'efforts. Attitude un peu négative
M.me Blanc			
MATHEMATIQUES	13	11,5	Un bon trimestre
M.lle Briard			
SC. NATURELLES	12	10,5	Assez bien dans l'ensemble
Mme Joly			
TECHNOLOGIE	12	13,5	Tout à fait satisfaisant
Mme Studer			
EDUC. MUSICALE	10	11,5	Doit être plus positive
M. Cesar			
ARTS PLASTIQUES	10,5	11,5	Bien
M. Desmonts			
E.P.S.	12	12,5	Ensemble satisfaisant
Mme Martin			
Nombre de 1/2 journées d'absence: 2			

DECISION DU CONSEIL D'ORIENTATION
Admis en classe de: 2de
Redoublement de la classe de:
Orientation proposée: E. Dumas

Stage en entreprise

En France la plupart des élèves de troisième doivent faire un stage en entreprise. Ça leur donne une idée du monde du travail. Le collège peut organiser les stages, mais beaucoup d'élèves prennent contact eux-mêmes avec une entreprise.

Ecoute la cassette et lis le texte. Puis complète les phrases ci-dessous avec les bons prénoms.

> moi je voudrais être médecin, et je vais passer une semaine dans une maison de retraite.

Fabien

> Je voudrais devenir ingénieur. Je vais faire mon stage dans un garage. Mon père connaît bien le patron.

> Je m'intéresse au commerce. Je ne sais pas exactement ce que je voudrais devenir, mais je vais passer la semaine avec un représentant de commerce.

> Je ne sais pas ce que je voudrais devenir. Je vais passer huit jours dans une ferme. J'aime beaucoup les animaux.

Aurélie

Grégory

Olivier

> Je voudrais faire des études de droit. Je vais faire mon stage chez un notaire.

> J'aimerais travailler dans le tourisme. Je vais faire mon stage dans un grand hôtel.

> J'aimerais travailler dans un salon de beauté. Je vais faire mon stage chez un coiffeur.

> Ce que je voudrais faire dans la vie? Je n'ai aucune idée. Je vais faire mon stage chez un vétérinaire.

Séverine

Franck

Laetitia

Leila

C'est qui?

Exemple

1 Fabien

Pendant le stage, il/elle …

1 … va aider des gens âgés.
2 … va se salir les mains.
3 … va voir beaucoup d'animaux malades.
4 … va passer la plupart de son temps dans un bureau.
5 … va passer la plupart du temps en plein air.
6 … va rencontrer beaucoup de clients dans une boutique.
7 … va voyager beaucoup.
8 … va voir beaucoup d'hommes d'affaires et de vacanciers.

🏠 **A faire chez toi**
Prépare une réponse à ces questions, par oral ou par écrit.

Comment est ton école? Quelles sont tes matières préférées? Il y a combien de professeurs? Comment serait ton prof idéal? Tu as de bonnes notes? Qu'est-ce que tu voudrais être? Est-ce qu'on fait un stage en entreprise chez vous? Si oui, que vas-tu faire? Si non, qu'est-ce que tu aimerais faire?

Pas vrai!

Enfants au travail

Travailler toute une journée à l'école plus les devoirs à faire à la maison paraît dur quelquefois. Mais il y a dans le monde des enfants qui travaillent physiquement comme les adultes.

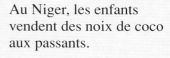

Au Niger, les enfants vendent des noix de coco aux passants.

L'île de Bali. Dans ce paradis visité par les touristes, les petits Indonésiens doivent, entre autre, porter de lourdes charges pour gagner de quoi manger.

En Palestine, beaucoup d'enfants gardent les bêtes dans les montagnes.

Aux Philippines, au Nicaragua et en Egypte, des enfants vivent des décharges publiques.

En Thaïlande et en Indonésie, il y a des enfants qui travaillent dans les champs. C'est dur. La journée commence à 5 heures du matin et finit au coucher du soleil.

Au Brésil, plusieurs millions d'enfants vivent et dorment dans la rue.

Casse-tête

Regarde les notes, lis les remarques et décide qui est A, qui est B, qui est C et qui est D.

	maths	français	histoire-géo
A	15	15	12
B	10	14	11
C	9	12	13
D	14	15	13

- Dans l'ensemble, Jérôme a la même moyenne que Sébastien.
- Sébastien a la même note en histoire-géo que Virginie.
- Agnès a un point de plus en maths que Virginie.
- Virginie a une meilleure note en histoire-géo qu'en français.

(Solution à la page 193)

Blague

Garçon, âgé de 7 ans: Papa! Je suis plus intelligent que la maîtresse.

Le père: Tu m'étonnes! Et pourquoi?

Garçon: Mais si. Cette année je suis monté d'une classe, et la maîtresse est restée dans la même!

Station service

Venir de

Je	viens de	recevoir ta lettre.	I have just got your letter. **185**
Je	viens d'	avoir maths.	I have just had maths.
Il/Elle	vient d'	avoir français.	He/She has just had French.
Ils/Elles	viennent d'	avoir allemand.	They've just had German.

Aller + infinitive

Je vais	faire	un stage dans un garage.	I am going to do work experience in a garage. **185**
	passer	cinq jours chez un vétérinaire.	I am going to spend five days at a vet's.

Que	vas-tu faire?	What are you going to do?

Va voir	le principal.	Go and see the headteacher.
	l'infirmière.	Go and see the nurse.

The conditional

Je voudrais	être	médecin.	I'd like to be a doctor. **186**
J'aimerais	devenir	ingénieur.	I'd like to be an engineer.
Qu'est-ce que	tu voudrais	faire comme métier?	What sort of job would you like to do?

Comment	serait	ton prof idéal?	What would your ideal teacher be like?

Il/Elle	serait	patient(e).	He/She would be patient.
	aurait	de l'humour.	He/She would have a sense of hum•
	devrait	être juste.	He/She would have to be fair.
	donnerait	souvent la parole aux élèves.	He/She would often allow students to have their say.

Il/Elle	serait	quelqu'un	qu'on pourrait respecter.	He/She would be someone whom you could respect.
			qui saurait me faire travailler.	He/she would be someone who would know how to make me work

The conditional + 'if' with the imperfect

Si	j'étais	malade,	j'irais voir	l'infirmière.	If I were ill, I'd go and see the nurse.
	j'avais	des problèmes,		quelqu'un.	If I had problems, I'd go and see somebody.

Si	je devais faire	un stage,	j'irais	chez un coiffeur.	If I had to do work experience, I'd go to a hairdresser's.

Tu aimes l'école?

Ces sept jeunes parlent de l'école. Qui aime l'école? Qui ne l'aime pas?
Dresse deux listes.

Exemple

aime l'école	n'aime pas l'école
Claire	

> J'adore l'école.
> Elle nous permet de nous
> faire des copains et de
> connaître d'autres adultes
> que nos parents.

Yannick

> Je trouve
> que l'école, c'est
> fantastique.

> L'école, je
> trouve ça bien. J'adore
> de plus en plus l'école pour les
> copains et aussi pour les
> programmes qui sont plus
> intéressants en 4e qu'en
> 6e et 5e.

> Sans l'école,
> on ne saurait ni lire, ni
> écrire, ni compter. L'école, c'est
> des tas de choses
> intéressantes.

Philippe

Claire

> L'école!
> Je pense que c'est
> super nul!

> Moi, j'aime
> bien l'école, et à chaque
> fois que je dis cela à mon
> entourage, ils trouvent que je
> suis bête, et ils disent que
> l'école est nulle.

Christelle

François-Xavier

Aurélie

> Je déteste
> l'école. Je préférerais
> quelque chose de plus
> pratique.

Mélanie

C'est quelle matière?

1

2

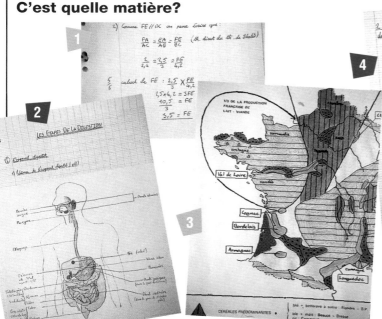

3

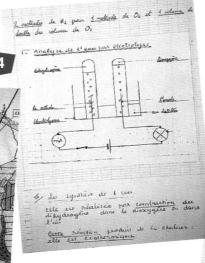

4

5

Questions de collège

Relie les mots pour compléter les phrases.

Quelle est la	professeur de français?
Comment s'appelle ton	matière préférée?
Comment serait ton	meilleure note?
Quelle est ta	prof idéal?
Qu'est-ce que tu as	après maths?

Maintenant réponds toi-même aux questions!

Cher Mamadou

Tu as lu la lettre à la page 48, en réponse à cette lettre d'Antoine.
Regarde la lettre et complète les phrases ci-dessous.

Cher Mamadou,

Je suis content de correspondre avec toi. J'ai hâte de découvrir ton pays et de te faire connaître le mien. J'habite Saint-Joachim, un petit village du Québec. Mes parents ont une ferme où ils cultivent du maïs.

Depuis deux semaines, j'ai recommencé l'école, en troisième année. Tous les matins, l'autobus scolaire vient me chercher devant chez moi. Ma matière préférée, c'est l'informatique. Dans l'école, une salle est réservée aux ordinateurs. Je fais des programmes en langage LOGO. C'est un langage qui permet de faire des dessins à l'écran et de les imprimer.

Plus tard, j'aimerais être vétérinaire et m'occuper des animaux de ferme.

Pour faire ce métier, il faut étudier longtemps. Moi, je n'aime pas trop l'école, je m'y sens enfermé! En plus, l'hiver, il fait déjà noir à quatre heures de l'après-midi. C'est dur de rentrer à la maison en pleine nuit!

J'ai hâte d'avoir de tes nouvelles. Comment est ton école?

A bientôt,
Antoine

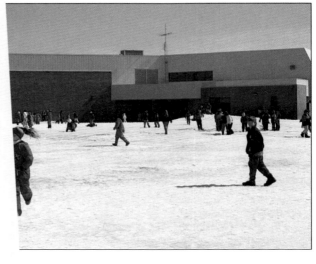

1 Antoine habite …
2 A l'école, il est en …
3 Sa matière préférée, c'est …
4 Pour aller à l'école il prend …
5 Il voudrait être …
6 Il n'aime pas l'école parce qu'il …

Qui dirait ça?

Lis ces remarques, puis décide qui parle: le principal, le conseiller
d'éducation, un surveillant, la conseillère d'orientation,
la documentaliste, l'infirmière ou l'intendant.

Je crois que tu trouveras ce que tu cherches dans cette encyclopédie.

C

Je te donne un médicament. Ça ira bientôt mieux.

A

C'est la deuxième fois que tu es en retard cette semaine!

B

Si tu as cassé cette table tu devras la payer.

F

Benoît! Tais-toi enfin et occupe-toi de tes devoirs!

D

Désolé, mais avec des notes comme ça tu ne passeras pas en seconde.

E

Tu as déjà des idées sur ce que tu voudrais faire comme métier?

G

Stages

Quatre jeunes parlent des stages qu'ils ont faits.
Remplis les blancs en choisissant le bon verbe à chaque fois.

1

Avant, je ne _____ pas vraiment
ce que _____ un ingénieur.
Mais c'_____ passionnant!
Maintenant je _____ bien faire
ça. Je _____ de mon mieux pour
y arriver.

voudrais   savais

faisait

ferai   était

2

J'_____ dans une usine. Au
début je _____ que je _____
horriblement. C'est vrai que le
travail _____ répétitif mais en
fait ça _____ beaucoup de
concentration. Et puis les gens
_____ très sympas!

croyais   étaient   m'ennuierais

demandait   était   étais

3

C'_____ vraiment intéressant de
voir le travail d'une infirmière,
mais moi, personnellement, je
n'_____ pas la patience. Il y
_____ toujours quelqu'un qui
_____. Et les gens n'_____ pas
tous très faciles!

aurais   étaient   était

avait   attendait

4

Moi, je _____ dans une ferme.
Ce que je n'_____ pas, c'_____
être tout le temps dehors. Les
jours où il _____ beau, ça _____.
Mais les jours de pluie – oh là là!
Quelle horreur! Je n'_____ pas
faire ça comme métier.

aimerais   allait   était

travaillais   aimais   faisait

Roman photo

Tu as oublié? J'attends depuis une demi-heure. J'ai téléphoné chez toi pour voir …

Quoi! Tu as téléphoné chez moi? Tu es fou?

Ta mère a répondu. Je lui ai dit que c'était un ami.

Et le contrôle de sciences?

Je l'ai raté.

Pas grave. Au fait, j'ai demandé à mon patron et il a dit que tu pourrais faire ton stage à la caféteria. Et en plus tu seras payée. Pas mal, hein?

Le lendemain au collège.

Ma mère a parlé avec son collègue et ils sont d'accord pour ton stage. Elle m'a demandé de te passer cette lettre. C'est pour un rendez-vous mercredi à la clinique.

Merci.

Le jour du rendez-vous.

Où vas-tu?

Secret. Je te le dirai après.

Non. Tu ne vas nulle part. Fabienne, pourquoi tu m'as menti?

Comment?

Je l'ai trouvée quand je rangeais ta chambre. Alors tu as gardé des contacts avec Luc. Dire que je t'ai fait confiance! Eh bien, cette semaine tu restes ici!

D'accord. Je reste ici.

Mais tu le regretteras!

Communiquez!

Sénégal

La poste

Il y a des bureaux de poste pratiquement partout, même dans les villages.

Normalement en France, si on poste une lettre elle arrive le lendemain. On trouve des boîtes aux lettres aussi un peu partout. Elles sont jaunes avec le sigle de la poste dessus.

Le téléphone

Il y a énormément de cabines téléphoniques. La plupart des cabines sont à cartes. Elles sont vérifiées régulièrement et réparées si elles sont cassées. Il y a très peu de cabines à pièces.

Le Minitel

Le Minitel est très répandu. On peut chercher toutes sortes de renseignements, pas seulement des numéros de téléphone et des adresses. On peut aussi réserver des places de spectacle ou des billets de voyage, par exemple.

Le fax

Le fax ou télécopieur est très efficace et utile. Il permet d'envoyer des documents et même des dessins qui arrivent instantanément. C'est très facile à utiliser. Ça ne coûte pas très cher et surtout c'est très rapide.

Le téléphone portatif

Les téléphones portatifs et les téléphones de voiture, c'est très pratique parce qu'on peut être joint à tout moment. En voiture, on n'a pas le droit de faire un numéro pendant qu'on conduit mais on peut répondre.

Ils parlent de quoi?

 Lis les textes et écoute la cassette. Ils parlent du fax? du Minitel? du téléphone? ou de la poste?

A C'est incroyable de pouvoir envoyer une lettre à l'autre bout du monde si rapidement. Quand on entend des bip-bip on sait que la lettre est arrivée.

B Moi, j'ai un répondeur et je peux recevoir des messages. Je sors beaucoup mais je peux quand même être contactée.

C J'ai une correspondante aux Etats-Unis. Il n'y a pas très longtemps elle m'a envoyé de belles photos de sa région et de sa famille.

D Je ne cherche jamais des numéros ou des adresses dans l'annuaire. Je trouve que c'est beaucoup plus pratique sur l'écran.

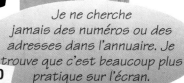

Un coup de téléphone

Comment téléphoner d'une cabine téléphonique en France?
Recopie les instructions dans le bon ordre.

- Attendez la tonalité.
- Raccrochez.
- Entrez dans la cabine téléphonique.
- Attendez la tonalité – regardez l'écran … et retirez votre télécarte.
- Achetez une télécarte à la poste, dans un bureau de tabac ou chez le marchand de journaux.
- Composez le numéro de téléphone que vous voulez.
- Décrochez.
- Introduisez la carte.
- Parlez.

Quel est ton numéro de téléphone?

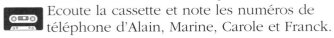

Ecoute la cassette et note les numéros de téléphone d'Alain, Marine, Carole et Franck.

– Yannick, tu peux me téléphoner après cinq heures ce soir?
– D'accord. Quel est ton numéro de téléphone?
– Cinquante-deux, vingt-quatre, trente-six, dix-neuf. (52 24 36 19)

Tu téléphones souvent?

Voici les résultats d'un sondage sur le téléphone en France effectué parmi un groupe de cent jeunes. On a posé la question 'Combien de fois est-ce que tu téléphones par semaine en général?'

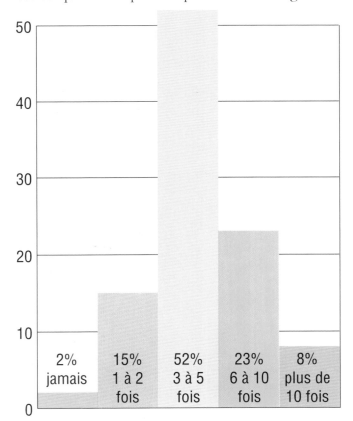

Pourquoi?

Regarde le graphique camembert. Ce sont les raisons données pour les coups de téléphone.

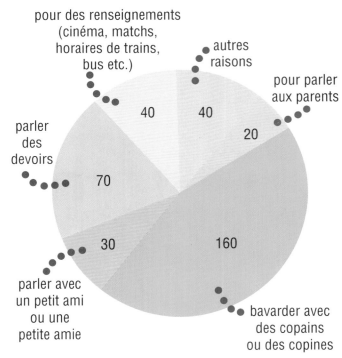

pour des renseignements (cinéma, matchs, horaires de trains, bus etc.) — 40

autres raisons — 40

pour parler aux parents — 20

parler des devoirs — 70

parler avec un petit ami ou une petite amie — 30

bavarder avec des copains ou des copines — 160

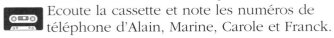

Ecoute la cassette et classe les raisons données par chaque personne.

Exemple
1 = parler des devoirs

Allô?

Travaille avec ton/ta partenaire et improvise des dialogues au téléphone.

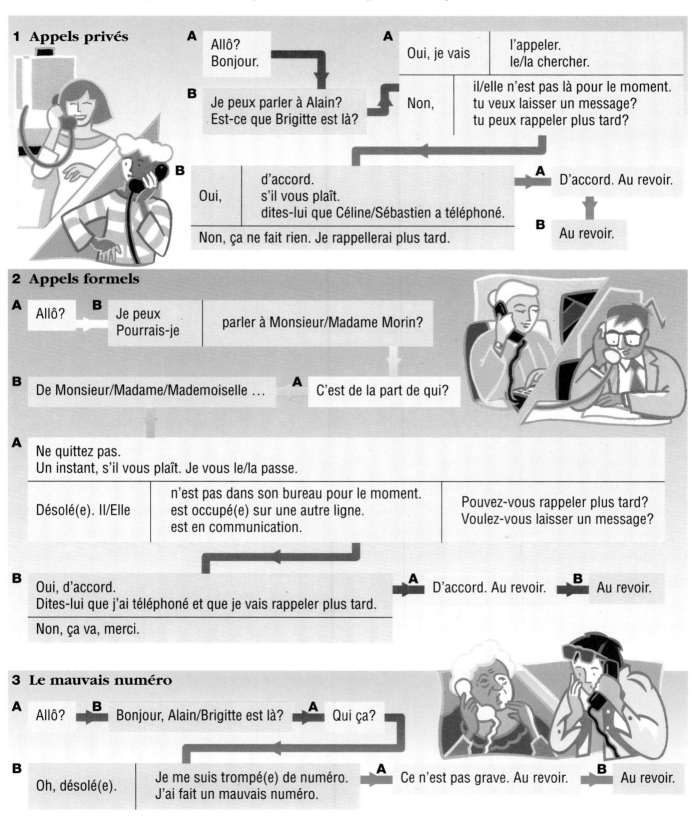

1 Appels privés

A Allô? Bonjour.

B Je peux parler à Alain? Est-ce que Brigitte est là?

A Oui, je vais | l'appeler. / le/la chercher.

A Non, | il/elle n'est pas là pour le moment. / tu veux laisser un message? / tu peux rappeler plus tard?

B Oui, | d'accord. / s'il vous plaît. / dites-lui que Céline/Sébastien a téléphoné.

Non, ça ne fait rien. Je rappellerai plus tard.

A D'accord. Au revoir.

B Au revoir.

2 Appels formels

A Allô?

B Je peux / Pourrais-je | parler à Monsieur/Madame Morin?

B De Monsieur/Madame/Mademoiselle …

A C'est de la part de qui?

A Ne quittez pas. Un instant, s'il vous plaît. Je vous le/la passe.

Désolé(e). Il/Elle | n'est pas dans son bureau pour le moment. / est occupé(e) sur une autre ligne. / est en communication. | Pouvez-vous rappeler plus tard? / Voulez-vous laisser un message?

B Oui, d'accord. Dites-lui que j'ai téléphoné et que je vais rappeler plus tard.

Non, ça va, merci.

A D'accord. Au revoir.

B Au revoir.

3 Le mauvais numéro

A Allô?

B Bonjour, Alain/Brigitte est là?

A Qui ça?

B Oh, désolé(e). | Je me suis trompé(e) de numéro. / J'ai fait un mauvais numéro.

A Ce n'est pas grave. Au revoir.

B Au revoir.

Ecris-moi!

Voici des extraits de lettres. Lis-les et choisis la bonne catégorie dans la liste ci-dessous.

- ● une lettre de remerciement
- ● une lettre de réclamation
- ● une lettre d'amour
- ● une lettre entre correspondants
- ● une lettre demandant des renseignements

1

Mes parents ont dit que tu pourras venir chez nous bientôt.
J'ai montré tes photos à tous mes amis et tout le monde a très envie de te connaître.
J'espère que tout le monde va bien dans ta famille.

Amitiés
Cédric

2

Chère Coralie,
Merci beaucoup pour ta lettre et ton paquet. J'ai été enchantée de recevoir les jeux vidéos. J'ai joué avec pendant des heures et des heures. Et puis j'ai voulu t'écrire pour te remercier.

Grosses bises
Nathalie

3

Niort, le 15 juin

Monsieur,
   La semaine dernière j'étais de passage à Lyon et j'ai acheté une paire de baskets dans votre magasin de chaussures. Je les ai portées trois ou quatre fois seulement et il y a déjà des trous dans une des chaussures. Elles m'ont coûté sept cents francs et je suis très déçu.
Je vous serais reconnaissant de bien vouloir me les remplacer par une paire de baskets neuves.
   En attendant une réponse favorable à ma demande, je vous prie, Monsieur, d'agréer l'expression de mes sentiments les plus respectueux.

David Lagasse

4

Cher Julien
   J'ai reçu ta lettre hier et je l'ai relue je ne sais combien de fois. J'ai pensé si souvent à la belle soirée que nous avons passée ensemble. J'ai hâte de te revoir ce week-end. J'ai acheté des billets pour le concert samedi soir.

A samedi
Baisers
Vanessa

5

le 21 juin

Madame,
   Pourriez-vous m'envoyer une liste des hôtels de la région? En fait, c'est une région que je ne connais pas du tout mais j'ai entendu dire qu'elle est très belle. J'ai vu aussi des photos de canoë-kayak et d'équitation. Auriez-vous l'amabilité de me faire parvenir des renseignements là-dessus? Je compte passer mes prochaines vacances là-bas.

Avec mes remerciements.

Veuillez agréer, Madame, l'expression de mes sentiments distingués.

F. Andrieu

Rappel

Cher Stéphane/Chère Coralie Monsieur/Madame		
Bien à toi Amitiés Amicalement Grosses bises		
Je vous prie d' Veuillez	agréer l'expression de mes sentiments	respectueux. distingués.

Quelqu'un

Regarde encore les cinq lettres et lis les phrases ci-dessous. C'est vrai ou faux?

1 Quelqu'un a reçu une invitation pour un match de basket.
2 Quelqu'un a reçu une invitation pour aller chez une correspondante.
3 Comme cadeau quelqu'un a reçu des baskets.
4 Quelqu'un n'est pas content de son cadeau.
5 Quelqu'un n'est pas content de son achat.
6 Quelqu'un a payé 700 francs pour ses chaussures de sport.
7 Quelqu'un a reçu une lettre d'amour de sa petite amie.
8 Quelqu'un est allé à un concert le week-end dernier.
9 Quelqu'un cherche des renseignements pour ses vacances.
10 Tout le monde est content.

Qui a écrit ça?

Recopie ces extraits de lettres en remplissant les blancs. Qui a écrit chaque extrait?

1 J'_____ été enchantée …
2 J'ai _____ ta lettre …
3 J'ai _____ tes photos à mes amis …
4 J'_____ acheté des billets …
5 J'ai _____ une paire de baskets …
6 J'ai _____ aussi des photos de canoë-kayak …
7 Je les _____ portées trois ou quatre fois …
8 Mes parents _____ dit …
9 J'ai _____ dire qu'elle est très belle …
10 J'ai _____ avec pendant des heures …

⭐ **A toi maintenant**
Ecris une lettre de remerciement ou une lettre demandant des renseignements.
A toi d'inventer les circonstances!

A la poste

 Ecoute les dialogues sur la cassette et note la destination de l'envoi et le prix que chaque personne paie.

Exemple
1 destination: l'Ecosse
prix: 2F 80

1
– C'est combien, pour envoyer une lettre en Ecosse?
– Ça dépend du poids. Si c'est moins de 20 grammes, c'est 2F 80.
– La voilà.
(*L'employée la pèse.*)
– C'est bon. Alors 2F 80 s'il vous plaît.

2
– Bonjour. Je voudrais envoyer ce colis en Tunisie.
– Merci. C'est urgent?
– Non. Ce n'est pas pressé.
– Alors ça fait 26F, s'il vous plaît.

A toi d'improviser des dialogues comme ceux-là avec ton/ta partenaire. Prends le rôle de l'employé(e) et du client/de la cliente à tour de rôle.

Rappel

C'est combien, pour envoyer	une lettre une carte postale	en Tunisie? en Angleterre?
Je voudrais envoyer	ce colis ce paquet	en Suisse. en Irlande.

Garde le contact

Écris-moi une lettre, m'a-t-il dit.
Tu pourrais m'envoyer un fax aussi.
Appelle-moi un de ces jours-ci.
Ou viens chez moi, si tu as envie.

J'ai écrit une lettre. Il ne l'a pas reçue.
J'ai envoyé un fax. Il ne l'a pas lu.
J'ai téléphoné. Il n'a pas répondu.
J'ai frappé à la porte. Il n'a pas entendu.

Bip bip. C'est occupé.
Bip bip. Sans arrêt.
Bip bip. Ce n'est pas vrai!
Bip bip. Un dernier essai.
Dring dring. Ça y est!
Dring dring. Mais -
Biiiip. Vous écoutez
Un message enregistré.
Désolé.
Je suis absent pour la journée.

Courrier du cœur

Lis ces deux lettres, envoyées à une revue pour les jeunes,
et décide quel conseil est le meilleur pour chacune.

Chère Sylvie,

La semaine dernière j'ai rencontré une fille super à une boum. J'ai dansé avec elle et on a parlé longtemps ensemble. Je l'ai trouvée vraiment sympa et j'ai eu l'impression qu'elle aussi, elle m'aimait bien. Elle m'a donné son numéro de téléphone mais quand j'ai téléphoné sa mère m'a dit qu'elle n'était pas là. J'ai appelé plusieurs fois et c'est toujours la même réponse. Une fois je l'ai eue et elle a raccroché. Qu'est-ce que je peux faire? Est-ce que je devrais aller la voir? J'espère que tu pourras m'aider.

Quel conseil?

a Cherche son adresse sur le Minitel et va la voir.
b Renonce. Il y a certainement des choses qu'elle ne t'a pas dites.
c Ecris-lui une lettre gentille en lui demandant ce qui se passe. Promets d'accepter sa décision si elle répond.

Chère Sylvie,

Je viens de passer quelques jours vraiment horribles à l'école. En voici la raison: mes deux meilleures copines ont décidé qu'elles ne voulaient plus être avec moi. Bon, ça, je pourrais le supporter à la limite. Mais ce n'est pas tout. Elles ont écrit des mots vraiment cruels dans mon carnet de correspondance, elles ont même persuadé d'autres de faire la même chose. J'ai essayé de leur parler mais elles m'ont simplement fait la gueule. Je suis sûre que je n'ai rien fait pour provoquer tout ça. J'en ai parlé avec mes parents mais ils ne l'ont pas vraiment pris au sérieux. Mais pour moi, c'est sérieux. J'ai horreur d'aller au collège maintenant. Hier soir j'ai pleuré dans ma chambre pendant des heures. Qu'est-ce que je peux faire?

Agnès

Quel conseil?

a Va en parler à ton prof principal ou au conseiller d'éducation.
b Ecris un message aux deux filles en leur expliquant ce que tu ressens.
c Sois patiente. Ça va passer. Fais comme si ça ne te touchait pas. Elles ne continueront pas longtemps.

☆ A toi maintenant

Ecris toi-même une réponse plus longue à une de ces lettres. Commence: Cher Julien/Chère Agnès, Merci de ta lettre …

Consultez le Minitel

Regarde cette liste de services du Minitel (il y en a des centaines d'autres!) et lis ci-dessous ce que disent les gens.

Quel est le bon service pour chaque personne? Ecris le numéro qui correspond.

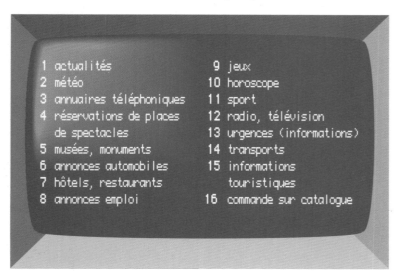

```
1 actualités            9 jeux
2 météo                10 horoscope
3 annuaires téléphoniques  11 sport
4 réservations de places  12 radio, télévision
  de spectacles         13 urgences (informations)
5 musées, monuments     14 transports
6 annonces automobiles  15 informations
7 hôtels, restaurants      touristiques
8 annonces emploi       16 commande sur catalogue
```

«Je pars en vacances demain. Je voudrais savoir le temps qu'il fera dans le Midi.» **A**

B «J'ai besoin de savoir s'il y a un avion Paris-Londres demain vers vingt heures.»

«Je ne connais pas le numéro de Mathieu.» **C**

D «J'ai besoin d'un médecin.»

«Je suis Scorpion. Je veux savoir mon horoscope pour le mois qui vient.» **F**

«Je veux me renseigner sur les heures d'ouverture du château.» **E**

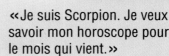

«Je voudrais savoir ce qu'il y a comme clubs de tennis dans la région.» **G**

«Je veux acheter une voiture d'occasion.» **H**

🏠 A faire chez toi

Prépare une réponse à ces questions, par oral ou par écrit.

«Je n'ai pas de journal et je veux voir s'il y a un bon film à la télé ce soir.» **I**

«Je suis au chômage et je cherche du travail.» **J**

Maintenant invente d'autres textes toi-même et demande à ton/ta partenaire de te dire le numéro du service qu'il te faut.

Est-ce que tu écris beaucoup de lettres? Tu as déjà eu un correspondant français? Raconte-moi ce que tu as fait le week-end dernier. Et le téléphone, tu t'en sers souvent? Pour téléphoner à qui? C'est toi qui paies les coups de téléphone?

PasVRAI!

De quels pays viennent ces timbres?

1
2
3
4
5
6
7
8

(Solution à la page 193)

L'école sur Minitel

En Californie, le lycée James McKee teste sur un groupe de 700 parents d'élèves un service Minitel d'information sur l'école. Les parents peuvent ainsi lire le menu du jour à la cantine ou communiquer, par messagerie électronique, avec les professeurs. Ils peuvent avoir accès aux notes de leurs enfants, et même à la liste des devoirs à faire à la maison! Une bonne idée — ou pas?

Blague

Le prof dit à un garçon:
«Tes devoirs sont mauvais. Je vais écrire à ton père pour le lui dire.»

«Il va être furieux», répond le garçon.
«C'est lui qui les a faits.»

Satellites

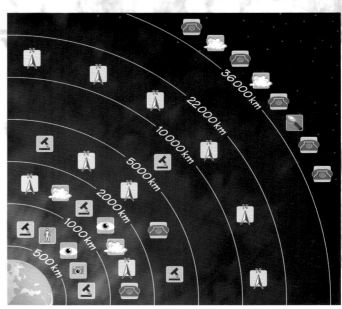

Des milliers de satellites artificiels tournent dans le ciel. Chacun a son orbite particulière. La plupart des satellites se déplacent d'ouest en est, dans le même sens que la rotation de la Terre. Plus ils volent bas, plus ils vont vite. Pour les voir, il suffit de regarder dans le ciel la nuit. C'est le soleil qui les illumine, comme il illumine la lune. La plupart des satellites qu'on voit à l'œil nu sont à une altitude de 200 à 400 km. Un satellite qui vole à 200 km fait le tour de la Terre en moins de 90 minutes!

Stations orbitales: elles abritent des équipages

Satellites de reconnaissance photographique: satellites militaires avec des caméras à très haute résolution

Satellites de navigation: ils permettent aux avions et aux bateaux de déterminer leur position

Satellites de recherche: ils font des expériences et des observations scientifiques dans l'espace

Satellites de surveillance électronique: satellites espions

Satellites météo: ils font des observations pour permettre de prévoir le temps qu'il fera

Satellites de surveillance: ils observent la surface de la Terre

Satellites de communications: ils relaient les messages téléphoniques et les émissions de radio et de télévision

Station service
Vouloir and pouvoir

| Tu veux / Voulez-vous | laisser un message? | Do you want to leave a message? | **182** |

| Je peux / Pourrais-je | parler à | David? / M. Morin? | Can I speak to David? / Could I speak to Mr. Morin? |

| Tu peux / Pouvez-vous | rappeler plus tard? | Can you call back later? |

Beginning and ending letters

Cher	Christian	Dear Christian
Chère	Christine	Dear Christine
Monsieur		Dear Sir
Madame		Dear Madam
Amitiés		Yours
Grosses bises		Love

| Veuillez / Je vous prie d' | agréer, Monsieur, l'expression de mes sentiments | les plus respectueux. / distingués. | Yours sincerely/ faithfully |

The perfect tense with avoir

| J'ai | reçu ta lettre. / joué au tennis. / eu mal au ventre. | I got your letter. / I played tennis. / I had stomach ache. | **183** |

| Tu as | écrit ta lettre? / été malade? | Have you written your letter? / Were you ill? |

| Elle / On | a | raccroché. / parlé longtemps. | She hung up. / We talked for a long time. |

| Il n'a pas | répondu. | He didn't answer. |

| Nous avons | reçu une invitation. / fait une promenade. | We got an invitation. / We went for a walk/ride. |

| Vous avez | fini? | Have you finished? |

| Ils / Mes parents | ont | invité toute la famille. / dit oui. | They invited the whole family. / My parents said yes. |

Object pronouns (me, you, him, her, it, them)

| Qu'est-ce qu'elle m'a offert? | What did she give me? | **178** |

| Elle m'a donné son numéro. | She gave me her number. |

| Je t'ai fait confiance. | I trusted you. |

| Je vais l'appeler. | I'll call him/her. |

| Je vous | le / la | passe. | I'll put you through to him. / I'll put you through to her. |

| Je l'ai lu cent fois. | I have read it a hundred times. |

| Dites-lui que j'ai téléphoné. | Tell him/her I phoned. |

| J'ai essayé de leur parler. | I've tried to talk to them. |

| J'en ai parlé à mes parents. | I talked to my parents about it. |

Qu'est-ce que c'est?

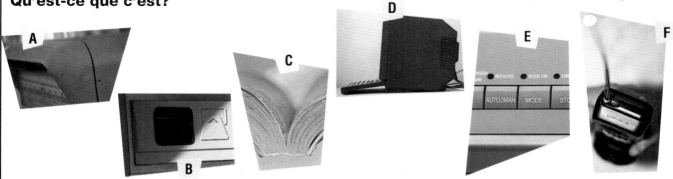

Mots d'absence
Relie les phrases aux dessins.

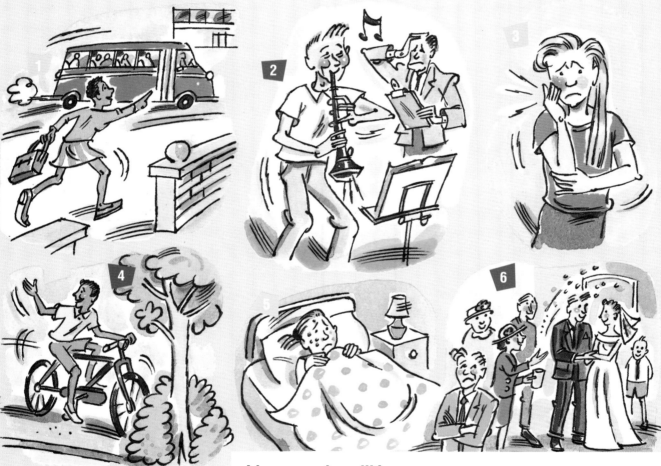

a J'ai eu un accident de vélo.
b J'ai raté le car.
c J'ai eu un examen de musique.
d J'ai assisté à un mariage.
e J'ai eu mal aux dents.
f J'ai été malade.

Lignes embrouillées
Relie les questions et les réponses.

Allô? Hélène est là?
Pouvez-vous rappeler plus tard?
Tu veux laisser un message?
C'est de la part de qui?
Pourrais-je parler à Monsieur Blanc?
Désolé. Je me suis trompé de numéro.

Non, ça va, merci.
Un instant. Je vous le passe.
Oui. Je vais la chercher.
Ce n'est pas grave.
De Catherine Maurel.
Oui, je rappellerai dans une heure.

Début ou fin?

Voici des extraits de lettres. C'est la fin ou le début?

1
Je te laisse maintenant. J'espère que tu vas m'écrire bientôt.

2
Salut! Je ne t'ai pas écrit depuis longtemps.

3
Merci beaucoup pour ta dernière lettre. Je réponds enfin.

4
Salut! Ecris-moi bientôt. J'attends de tes nouvelles.

5
Je dois te laisser maintenant. J'ai beaucoup de choses à faire.

6
Coucou. C'est moi. Je réponds enfin à ta lettre.

Appels-mêle

Remets les mots dans le bon ordre pour faire des phrases qu'on pourrait entendre au téléphone.

Exemple

Philippe que là est-ce est?

Est-ce que Philippe est là?

1 part la c'est qui de de?

2 un veux message laisser tu?

3 je tard rappeler vais plus.

4 autre Monsieur ligne est une Legrand sur occupé.

5 de suis me trompé numéro je.

Une lettre de réclamation

L'autre jour tu as visité Paris avec ta classe. Là-bas tu as acheté un jeu pour ordinateur. Tu as joué avec deux ou trois fois et ça ne marche plus. Ecris une lettre au magasin où tu l'as acheté pour demander qu'ils le remplacent. N'oublie pas de dire combien tu l'as payé.
(Voir la lettre 3 à la page 64.)

Une lettre de Londres

Chère Maman,

    Je t'ecris sur l'ordinateur d'Abigail qui n'a pas d'accents francais! Aujourd'hui j'ai accompagne Abigail a l'ecole. Les cours commencent a neuf heures. J'ai ete etonne par les differences entre l'ecole ici et la notre en France! Tout d'abord il y a l'uniforme. Tous les eleves portent les memes vetements. C'est moche! Mais les salles de classe par contre sont beaucoup plus jolies que chez nous. J'ai assiste a un cours de francais pendant lequel ils ont parle de la Martinique. En sciences ils ont fait une experience tres interessante et en dessin ils ont travaille sur une grande peinture murale. On a mange a la cantine a midi. Et l'apres-midi nous avons joue aux "rounders". Les cours ont fini a trois heures et demie et a quatre heures on etait deja a la maison!
    Je t'ecrirai de nouveau bientot,

Grosses bises,

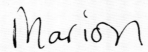

1 Recopie la lettre en ajoutant tous les accents (les cédilles aussi) qui manquent.

2 Réponds à ces questions:

  a Pourquoi la lettre de Julie n'a-t-elle pas d'accents?

  b A quelle heure les cours ont-ils commencé?

  c Comment a-t-elle trouvé l'uniforme?

  d Qu'a-t-elle dit au sujet des salles de classe?

  e Qu'est-ce qu'elles ont eu comme cours le matin?

  f Où a-t-elle mangé à midi?

  g Qu'est-ce qu'elle a fait dans l'après-midi?

  h Comment a-t-elle trouvé sa journée à l'école?

Apprends à utiliser le Minitel

Voici les sept principales touches qu'il faut connaître au Minitel. Relie-les aux explications ci-dessous.

1 Pour revenir à l'information ou à la page précédente.

2 Pour obtenir la réponse quand tu as tapé la demande.

3 Pour effacer une ligne entière.

4 Pour passer à l'information ou à la page suivante.

5 Pour se connecter quand tu as composé le numéro de téléphone. Tu l'utilises aussi pour quitter le service.

6 Pour réafficher la page quand elle est brouillée ou incomplète.

7 Pour effacer le dernier caractère en cas d'erreur.

Roman photo

Salut! Ça s'est bien passé à la clinique de ma mère?

Je … je n'y suis pas allée.

Quoi? Mais pourquoi?

Je me suis disputée avec maman et elle ne m'a pas laissée sortir.

Tu lui as téléphoné au moins?

Non.

Ça sonne. Tu as révisé l'histoire?

Ah mince, l'interro! Je l'ai complètement oubliée.

Chez Mathieu.

Tu sais que ta copine n'est pas venue à la clinique. Qu'est-ce qui est arrivé?

Je ne sais pas. Je crois qu'elle a des problèmes chez elle en ce moment.

Peut-être bien. Mais elle ne s'est même pas excusée.

Pourquoi tu ne t'es pas trouvé une copine un peu plus …

Plus quoi, alors?

Plus stable. Plus sérieuse.

Devant le collège.

Fabienne! Tu as deux minutes? J'ai besoin de te parler.

Désolée. Je prends le bus. Tu vois — maintena je rentre directement chez moi.

Séjour à l'étranger

🔊 Voici trois jeunes qui ont fait un séjour à l'étranger.
Ecoute la cassette et suis le texte.

Nadège

Moi, j'ai fait un échange en Allemagne organisé par le collège. Nous y sommes allés en car. Ça a été très long. Nous nous sommes arrêtés deux fois, c'est tout. Mais je ne me suis pas ennuyée du tout, je me suis bien amusée … en plus nous avions la télé dans le car! J'ai passé trois semaines dans une petite ville dans le sud, pas très loin de la frontière autrichienne. Je suis restée dans une famille. Je suis allée tous les matins au collège mais l'après-midi j'étais libre. J'ai fait plein d'activités et du sport aussi. Je me suis bien entendue avec la famille. Un week-end nous avons fait un pique-nique à la campagne, c'était très bien. Je suis allée deux fois au cinéma. Le soir je sortais en ville. Ma correspondante allemande est venue passer trois semaines en été chez moi.

Je suis parti en Espagne. Je n'ai pas tellement aimé le voyage en avion mais le vol a été rapide quand même. J'ai passé quinze jours dans une famille. Mon prof d'espagnol a organisé ça pour moi. Et j'ai fait plein de choses. Pendant les premiers jours je suis allé au collège et puis j'ai fait des excursions. J'ai visité plein de villes et de villages dans les environs. Avec la famille on a fait un barbecue et puis je me suis baigné presque tous les jours parce qu'il faisait très beau, très chaud. C'était très agréable. Je me suis couché très tard tous les soirs parce qu'en Espagne on fait comme ça. Je me levais assez tard le matin – une fois j'ai dormi toute la matinée! Je suis allé en boîte aussi avec des copains deux ou trois fois. Enfin, tout s'est bien passé.

Moi je suis allé en classe de neige avec ma classe en Suisse pendant dix jours. On y est allé en train. On a fait beaucoup de ski. On a skié tous les jours. Le soir on s'amusait bien. Il y avait des activités et on a fait des jeux de société et des jeux de mime. Malheureusement le dernier jour il y a eu un accident. Voici ce qui est arrivé: Christian et moi sommes montés avec le télésiège pour faire notre première piste noire. Moi, je suis tombé plusieurs fois mais à part ça je suis descendu sans problème. Christian, par contre, descendait la piste quand quelqu'un lui est rentré dedans. Il s'est cassé le bras, le pauvre. Mais c'était quand même de bonnes vacances.

Jérôme

Maintenant recopie et remplis cette grille pour les trois jeunes.

	Pierre-Paul	Nadège	Jérôme
...nsport	avion		
...ys visité			
...hange/famille ...ccueil/classe ...neige			
...rée			
...ntent(e)?			
...tivités			

Rappel

Je suis allé(e) On est allé	en	Espagne Suisse	en	avion. car.
J'ai fait	un échange		en Allemagne.	

On a	skié	tous les jours.
	passé	dix jours là-bas.
Je me suis	couché(e) très tard. baigné(e). bien amusé(e).	
Elle est venue	chez moi.	
Il s'est cassé	le bras.	
C'était	très agréable. chouette.	
Je	me levais	assez tard.
	sortais	le soir.

☆ **A toi maintenant**
Tu as fait un séjour à l'étranger?
Raconte ce que tu as fait.

Un week-end à Angers

Ecoute la cassette et lis ce que Hassim raconte. Puis remets les extraits de dialogue ci-dessous dans le bon ordre.

Pendant les grandes vacances je suis allé en train à Angers un week-end avec mes cousins. C'était chouette. Angers est une belle ville et il y avait beaucoup de choses à faire. Tout d'abord, en arrivant, on a trouvé un hôtel au centre-ville. Le matin, on a fait le tour du marché où on a acheté des souvenirs. A midi on a acheté du pain et du fromage pour faire un pique-nique. Puis on est allé faire du patin. Le soir on a mangé dans un restaurant chinois et après on est allé au cinéma. Le dimanche matin, on s'est levé de bonne heure pour faire une excursion. On a pris le bus pour visiter les caves à vin pas très loin. On est rentré à Angers vers une heure de l'après-midi. Puis on a vite mangé au Macdo à la gare avant de prendre le train à deux heures vingt.

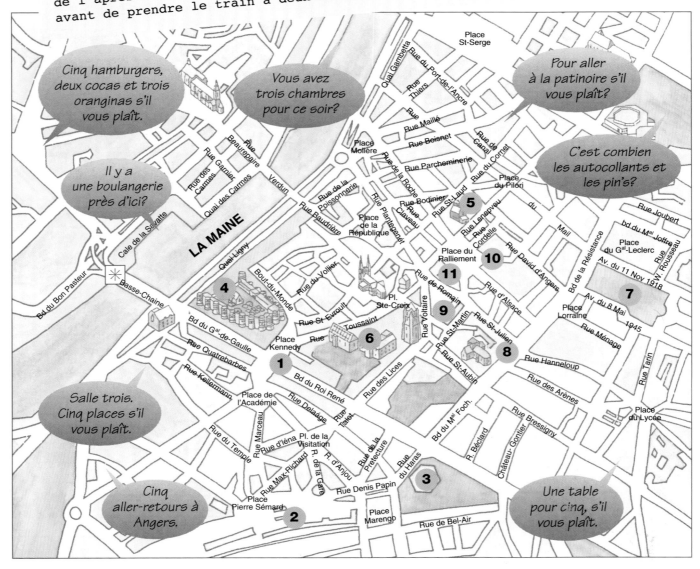

Speech bubbles on map:
- Cinq hamburgers, deux cocas et trois oranginas s'il vous plaît.
- Vous avez trois chambres pour ce soir?
- Pour aller à la patinoire s'il vous plaît?
- Il y a une boulangerie près d'ici?
- C'est combien les autocollants et les pin's?
- Salle trois. Cinq places s'il vous plaît.
- Cinq aller-retours à Angers.
- Une table pour cinq, s'il vous plaît.

Touristes

Ecoute les dialogues. Ça se passe où?
Au cinéma, au snack, à la gare, à l'hôtel,
dans le bus, au marché, dans la rue?
Note la phrase-clé à chaque fois.

Travail à deux

Invente une série de petits dialogues à jouer avec
ton/ta partenaire devant la classe ou à enregistrer.
Aux autres élèves de raconter ce que vous avez fait.

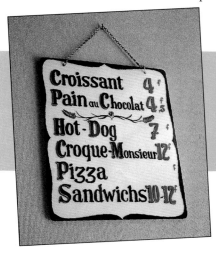

Croissant 4ᶠ
Pain au Chocolat 4ᶠ⁵
Hot-Dog 7ᶠ
Croque-Monsieur 12ᶠ
Pizza
Sandwichs 10-12ᶠ

Exemple

Ils ont acheté des pizzas, ils sont
allés dans le parc, puis ils sont allés
au cinéma.

CINEMA LE PARIS

35F   Tarif réduit 25F

Le lundi toutes places 25F

Séances

Salle 1 Germinal 18h 21h15

Salle 2 La famille Pierrafeu
                        17h30 19h45

Salle 3 Noir et Blanc
                        18h30 21h

Pour aller …

Travaille avec ton/ta partenaire. Sers-toi du plan
d'Angers en face pour improviser des dialogues.
Imagine que tu te trouves au point marqué ✳ .
Choisis une destination dans la liste
ci-dessous. Puis demande: 'Pour aller à … ?'
Ton/ta partenaire doit consulter la légende à la
page 82 et te donner la bonne direction. Suis ses
instructions. Tu finis où?

Exemple

A – Pour aller à la patinoire, s'il vous plaît?
B – Traversez le pont. Traversez le quai Ligny.
Continuez tout droit. Au troisième carrefour
vous avez la rue du Haras sur votre droite.
La patinoire est là.
A – Alors, c'est le numéro 3?
B – Oui, c'est ça.
A – Merci.

la poste
l'office de tourisme   la patinoire
le château   le cinéma Variété
              le musée Pincé   la gare
le théâtre
    l'hôtel Saint Julien   le Jardin du Mail
                  le musée des Beaux Arts

Rappel

Pour aller	au parc? à la gare? à l'office de tourisme?	
Y a-t-il	une boulangerie un parc	près d'ici?
Continuez tout droit jusqu'		au carrefour. au rond-point. à la place.
Tournez à droite Vous passez	devant	l'hôtel de ville. la poste.
Prenez	la première la deuxième	à gauche. à droite.
Un	aller simple aller-retour	pour Angers s'il vous plaît.
Trois places Un poulet-frites Deux cocas	s'il vous plaît.	
Avez-vous	une chambre	pour une nuit?
On a réservé		pour deux nuits.

Parc Astérix

Lis ces cartes postales puis réponds aux questions ci-dessous.

Salut!
On passe de bonnes vacances à Paris. Hier on est allé au Parc Astérix. C'était très pratique. On a pris le RER à l'aérogare de Roissy et puis il y avait un bus direct pour le Parc. On a passé toute la journée là-bas. Il faisait beau. J'ai fait cinq tours sur le « Grand Splatch ». C'était génial! Ce n'était pas très cher. On a payé 150 francs pour l'entrée et une fois dans le Parc, toutes les activités étaient gratuites.

Grosses bises Valérie

Coucou. C'est moi!
J'ai visité le Parc Astérix. C'était chouette! Je suis allé douze fois sur les chaises volantes et une fois sur le "Grand Huit". J'avais peur mais c'était super! Mon petit frère a beaucoup aimé le petit village d'Astérix. J'ai acheté un T-shirt avec Obélix dessus.
Je t'embrasse
Jean-Claude

Les Chaises Volantes

Le Grand Huit

La Galère

Le Grand Splatch

Le Grand Carrousel

Comment ont répondu Valérie et Jean-Claude aux questions posées par leurs amis en rentrant?

«Quelle était la meilleure activité à ton avis?»

«Tu as passé combien de temps dans le parc?»

«Comment tu as trouvé les prix?»

«Comment tu y es allé(e)?»

«Quel temps faisait-il?»

«Qu'est-ce que tu as acheté?»

☆ **A toi maintenant**

Fais ton propre poster du Parc Astérix ou d'un autre parc d'attractions que tu connais. Comment sont les attractions? Fantastiques? Effrayantes?

Rappel

Je suis	allé(e)		sur	le Grand Splatch.
J'ai	fait un tour		sur	les Chaises Volantes.
	eu peur.			
Qu'est-ce que	tu as			acheté?
Comment	tu	as		trouvé … ?
		y es		allé(e)?
Il	y avait			un bus pour le Parc.
	faisait			beau.

J'avais peur!

 Huit jeunes ont visité le Parc Astérix. Comment ont-ils trouvé ça? Quelle était l'attraction la plus populaire? Regarde les photos à la page 78 et écoute la cassette.

Avec qui?

Pose des questions à ton/ta partenaire pour découvrir avec qui il/elle est allé(e) au Parc Asterix.

Exemple

A – Tu es allé(e) sur les Chaises Volantes?
B – Non.
A – Tu as fait un tour sur le Grand Splatch? …

	Grand Splatch	Chaises Volantes	Grand Huit	Grand Carrousel	La Galère
avec Anne	✔	✔		✔	
avec Farid	✔		✔	✔	✔
avec Bruno		✔	✔		
avec Aurélie	✔		✔		✔
avec Patrice	✔	✔	✔		✔
avec Thomas		✔	✔		
avec Jérémie	✔	✔	✔	✔	✔
avec Mélanie			✔	✔	✔

La première bande dessinée

1 1064: le roi d'Angleterre Edouard a envoyé le seigneur Harold chez son neveu Guillaume, le duc de Normandie.

2 Harold est parti annoncer à Guillaume qu'il serait le futur roi d'Angleterre. Il a prié et mangé avant d'embarquer.

5 Harold est parti à la guerre avec Guillaume. Ils ont attaqué Rennes et Dinan. A Bayeux Harold a juré, sur des reliques, qu'il serait fidèle à Guillaume.

6 Harold a traversé la Manche et il est rentré en Angleterre. Puis il a continué à cheval jusqu'à Londres.

9 Mais Harold a trahi sa promesse à Guillaume et s'est proclamé roi d'Angleterre. Le 28 septembre 1066, Guillaume et les soldats normands ont embarqué pour traverser la Manche.

10 Les sept cents bateaux normands sont arrivés sur la côte anglaise. Les chevaux ont débarqué et les Normands ont fait un camp. Entretemps, l'armée de Harold approchait.

A

Trouve les paires

Trouve les paires de mots entre le bateau de gauche et le bateau de droite.

Exemple

anglais – français

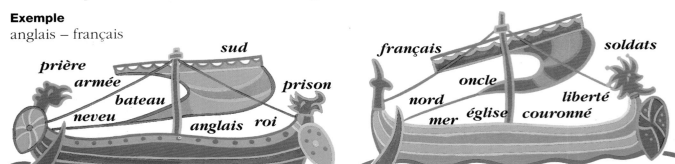

étonnante de Guillaume le Conquérant, duc de Normandie. En voici les grandes lignes.

3 Des vents contraires ont poussé les bateaux de Harold sur les côtes du Ponthieu, au nord de la Normandie.

4 Harold a été fait prisonnier par Guy de Ponthieu. Guillaume a envoyé des messagers avec une grosse somme d'argent pour obtenir la liberté de Harold.

7 Harold a raconté sa mission en Normandie au roi d'Angleterre Edouard.

8 1066: le roi Edouard est mort. Il a été enterré dans l'église Saint-Pierre-de-Westminster, à Londres.

11 Les cavaliers normands se sont lancés à l'attaque. Les soldats anglais se sont défendus avec des javelots et des haches.

12 Harold a reçu une flèche dans l'œil. Un cavalier normand l'a tué. Deux mois plus tard, le jour de Noël 1066, Guillaume a été couronné roi d'Angleterre.

B

Pourquoi la bataille d'Hastings?

Recopie le texte en remplissant chaque blanc par le bon verbe dans la liste ci-dessous.

Harold _____ voir Guillaume, le duc de Normandie.
Il _____ un message du roi d'Angleterre.
Mais Guy de Ponthieu l'_____ prisonnier.
C'est Guillaume qui _____ en aide à Harold.
Harold _____ en Angleterre.
Peu après, le roi Edouard _____.
Contrairement à sa promesse, Harold _____ roi d'Angleterre.
Guillaume n'_____ pas content.

est venu	*s'est proclamé*	*est rentré*
est allé	*portait*	*a fait* *est mort* *était*

C

Qu'est-ce qu'ils ont dit?

Invente une bulle pour chaque image!
Par exemple: Edouard pourrait dire à Harold:
A la fin, Harold pourrait dire:

Bon voyage! Amuse-toi bien!

Aïe! Ça fait mal!

D

Grosses bises, Harold

Imagine que tu es une de ces personnes et écris une carte postale! Décris ce qui s'est passé.
● Harold au moment d'être fait prisonnier
● Guillaume au moment où Harold s'est proclamé roi d'Angleterre
● Un soldat normand ou anglais au moment où Guillaume devient roi d'Angleterre.

Les Champs Elysées · (Joe Dassin)

1

Je m'baladais sur l'Avenue
Le cœur ouvert à l'inconnu
J'avais envie de dire bonjour
A n'importe qui.
N'importe qui
Et ce fut toi,
Je t'ai dit n'importe quoi.
Il suffisait de te parler
Pour t'apprivoiser.

(Refrain)
Aux Champs Elysées,
Aux Champs Elysées,
Au soleil, sous la pluie,
A midi ou à minuit
Il y a tout c'que vous voulez
Aux Champs Elysées.

2

Tu m'as dit «J'ai rendez-vous
Dans un sous-sol avec
des fous,
Qui vivent la guitare à la main
Du soir au matin.»
Alors je t'ai accompagné,
On a chanté, on a dansé,
Et l'on n'a même pas pensé
A s'embrasser.

(Refrain)
Aux Champs Elysées,
Aux Champs Elysées,
Au soleil, sous la pluie,
A midi ou à minuit
Il y a tout c'que vous voulez
Aux Champs Elysées.

3

Hier soir deux inconnus
Et ce matin sur l'Avenue
Deux amoureux tout étourdis
Par la longue nuit.
Et de l'Etoile à La Concorde
Un orchestre à mille cordes
Tous les oiseaux du point
du jour
Chantent l'Amour.

(Refrain × 2)
Aux Champs Elysées,
Aux Champs Elysées,
Au soleil, sous la pluie,
A midi ou à minuit
Il y a tout c'que vous voulez
Aux Champs Elysées.

Légende: plan d'Angers (voir page 76)
1 office de tourisme
2 gare SNCF
3 patinoire
4 Château d'Angers
5 musée Pincé
6 musée des Beaux Arts
7 Jardin du Mail
8 cinéma Variété
9 PTT
10 hôtel Saint Julien
11 théatre

🏠 A faire chez toi

Prépare une réponse à ces questions, par oral ou par écrit.

Tu as déjà été à l'étranger? Où? Qu'as-tu fait et qu'as-tu vu là-bas? Est-ce que tu pars quelquefois le week-end?
Le week-end dernier, par exemple, raconte-moi ce que tu as fait. Quel temps a-t-il fait chez toi?

Pas **vrai!**

Journaliste du mois

Jean-Pierre Jansen a participé à un concours 'journaliste du mois' organisé par un magazine québécois pour les jeunes. Il a gagné le premier prix de cinquante dollars avec cet article:

En juillet, lors d'un voyage avec ma famille dans l'ouest des Etats-Unis, nous avons visité Dakota. Il y a beaucoup d'animaux: des chèvres de montagne, des ours, des coyotes, des bisons. Ceux qui m'ont le plus étonné, ce sont les ânes sauvages. Selon les guides, ces bêtes descendent d'animaux abandonnés par les bergers espagnols et les prospecteurs miniers, il y a très longtemps. Il y en a environ 10 000 aujourd'hui.

Cependant, ce qui m'a le plus impressionné, ce sont les sculptures géantes taillées dans le roc du mont Rushmore.

C'est Gutzon Borglum qui a démarré le projet. Il avait étudié en France avec le célèbre sculpteur Rodin. Son grand rêve était de créer une sculpture monumentale.

Il a commencé son projet le 10 août 1927 et y a travaillé pendant 14 ans, aidé de quatre hommes. Ils ont embauché plus de 360 mineurs et bûcherons de

leur région. Il n'y a eu aucun accident grave, malgré l'utilisation de dynamite. Chaque jour, les travailleurs devaient grimper environ 760 marches à l'arrière de la montagne. Mais en 1936 ils ont construit un tram, une caisse en bois qui leur permettait, à l'aide de poulies et de câbles, de monter les outils et même les hommes.

Le sculpteur est mort en 1942, avant d'avoir pu terminer son travail. Mais le mont Rushmore honorera pour toujours les quatre grands présidents américains: Washington, Jefferson, Roosevelt et Lincoln.

Ça vient de quel pays?

Connais-tu les indicatifs nationaux de véhicules? Ça correspond à quel pays?

(Solution à la page 193)

Blague

«Je vous dois combien?» demande une dame en sortant du taxi.

«Trente-deux francs», répond le chauffeur.

«Vous ne pourriez pas reculer un peu, je n'ai que trente francs sur moi!»

Savais-tu que ...!

Au Québec toutes les plaques d'immatriculation (qu'on voit seulement à l'arrière des voitures) portent les mots 'Je me souviens'. C'est pour rappeler aux gens les origines de leur pays.

Station service

The perfect tense with **être**

Je suis	allé(e)	en Espagne en train.	I went to Spain by train.	**183–4**
	descendu(e)	trop vite.	I came down too fast.	
Tu es	allé(e)	où?	Where did you go?	
On est	allé	au Québec en avion.	We flew to Quebec.	
	resté	à l'hôtel.	We stayed in a hotel.	

Ma correspondante est	venue	passer trois semaines chez moi.	My exchange partner came and spent three weeks at my home.
Imaginez que vous êtes	allé(e)s	au Parc Astérix.	Imagine you went to Astérix Park.
Anne et Bruno sont	allés	sur les Chaises Volantes.	Anne and Bruno went on the Flying Chairs.

The perfect tense with **avoir**

J'ai	fait	un échange.	I did an exchange.	**183**
Tu as	acheté	quelque chose?	Have you bought anything?	
On a	skié.		We went skiing.	
	pris	le car.	We took the coach.	
Vous avez	joué	au tennis?	Did you play tennis?	
Ils ont	répondu	aux questions de leurs amis.	They answered their friends' questions.	

Reflexive verbs in the perfect tense

Je me suis	couché(e)	très tard.	I went to bed very late.	**184**
	baigné(e).		I went swimming.	
Tu t'es	bien entendu(e)	avec la famille?	Did you get on well with the family?	
Il s'est	cassé	le bras.	He broke his arm.	
Nous nous sommes	arrêtés	à Paris.	We stopped in Paris.	
Vous vous êtes	bien amusés?		Did you enjoy yourselves?	
Elles se sont	levées	tôt.	They got up early.	

The imperfect tense

Je	sortais	le soir.	I went out in the evenings.	**184**
Tu te	levais	tard le matin?	Did you get up late in the morning?	
C'	était	génial.	It was brilliant.	
Il	faisait	beau.	The weather was fine.	

Où sont-ils allés?

Regarde les photos. Où est allée chaque personne?

en Allemagne en France en Tunisie
en Guadeloupe en Italie
en Espagne au Québec en Angleterre

Exemple
Florian est allé en Allemagne.

La Porte de Brandenbourg

Florian

La Tour de Pise

Julie

Les courses de taureaux à Pamplune

Mélissa

La cathédrale Notre-Dame

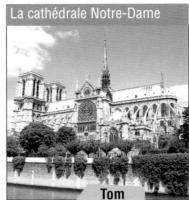

Tom

Le Pont de la Tour

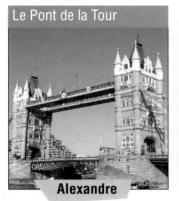

Alexandre

Le stade olympique à Montréal

Laure

Une plage aux Antilles

Chloë

Des Musulmanes vont à la prière

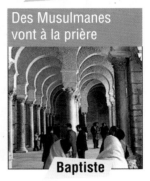

Baptiste

Un après-midi de sport

Voici un groupe de filles en fin d'après-midi dans le vestiaire du centre sportif. Elles viennent de faire du sport. Qui a fait quoi? Choisis la bonne réponse à la question: 'Qu'est-ce que tu as fait comme sport?'

J'ai joué	au hockey. au foot. au tennis. au badminton.
Je suis montée	à cheval.
J'ai fait	de la natation. du patin à roulettes. du judo.

entrée libre

Beaucoup de choses ont changé

Séna a écrit cette lettre à son amie Séverine qui a déménagé il y a un an.
Elle lui dit tout ce qui a changé depuis son départ. Lis la lettre et regarde
les dessins.

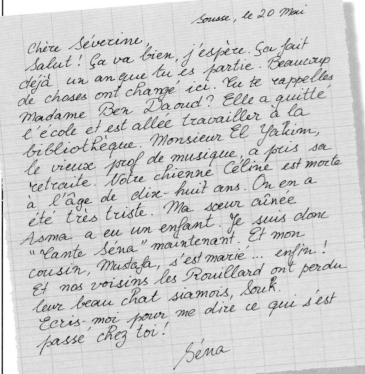

Sousse, le 20 Mai

Chère Séverine,
Salut! Ça va bien, j'espère. Ça fait déjà un an que tu es partie. Beaucoup de choses ont changé ici. Tu te rappelles Madame Ben Daoud? Elle a quitté l'école et est allée travailler à la bibliothèque. Monsieur El Yakim, le vieux prof de musique, a pris sa retraite. Notre chienne Céline est morte à l'âge de dix-huit ans. On en a été très triste. Ma sœur aînée Asma a eu un enfant. Je suis donc "tante Séna" maintenant. Et mon cousin, Mustafa, s'est marié ... enfin! Et nos voisins les Rouillard ont perdu leur beau chat siamois, Souk. Écris-moi pour me dire ce qui s'est passé chez toi!

Séna

C'est qui?

Exemple
A C'est Monsieur El Yakim

Messages

Ecris un message pour chacune des situations suivantes:

1
Tu es parti(e) en ville avec tes copains. Ecris un message à ta mère pour lui dire où tu es allé(e) exactement et à quelle heure tu seras de retour.

2
Il y a eu un coup de téléphone pour ton frère de la part de sa petite amie qui est en vacances. Ecris un message pour lui dire ce qu'elle a dit (où elle est, ce qu'elle a fait, quel temps il fait etc.).

3
Tu es parti(e) aider ton ami qui a eu un accident. Ecris un message pour expliquer à tes parents ce qui s'est passé et pour leur donner son numéro de téléphone.

Détective

Un détective a arrêté le criminel Louis Loubard.

Voici le contenu de ses poches. Qu'est-ce qu'il a fait ce week-end? Est-ce qu'il a un bon alibi? Décris son week-end.

Exemple

Samedi matin il est allé au centre commercial.

Il y a eu un hold-up à la Banque Centrale. Videz vos poches!

J'ai un alibi.

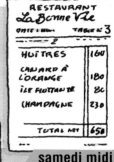

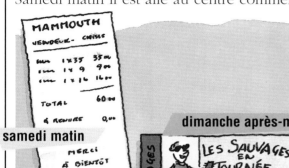

samedi matin

dimanche après-midi

samedi soir

samedi midi

samedi après-midi

dimanche matin

Ah, non. Le musée, c'est fermé le dimanche matin. Venez avec moi. La prison reste ouverte toute la semaine – mais vous serez enfermé, mon cher Louis!

dimanche soir

Quel temps?

Regroupe ces verbes dans trois catégories: passé, présent et futur.

↵   ↓   ↳

j'étais

tu sors

il a fini

j'attends

il aura

nous habitions

elle est partie

elle s'amuse

je me suis levée

j'ai acheté

j'irai

vous êtes allé

j'ai mangé

tu travailles?

nous serons

il ne regarde pas

je vais dormir

on est resté

ils resteront

nous allons danser

Se donner rendez-vous, faire des sorties, parler de sport et manger dans un restaurant

Roman photo

Tu dis que tu as envie d'être infirmière. Dans ce cas, il faut apprendre à travailler.

Justement. J'essaie de travailler mais je n'arrive pas à me concentrer.

Chez elle.

Allô? … Luc!

J'ai un message pour toi. Le patron de la caféteria voudrait te voir demain soir. Pour ton stage.

Ah bon. A quelle heure?

D'accord. Alors on se verra peut-être?

A la caféteria.

Tiens! Il a proposé de me payer deux cents balles par jour!

Ta mère t'a permis de sortir alors?

Très drôle.

Mais sérieusement, ça commence à m'énerver. A ta place je refuserais de rester enfermé comme ça!

Oui, mais tu n'es pas à ma place.

Le lendemain, pendant la récré.

Mathieu, je voulais te dire: j'ai décidé de faire mon stage ailleurs.

Fais comme tu veux. Ça m'est égal.

L'argot

Ces gens parlent en argot (voir les mots en bleu). Ecoute la cassette et suis le texte. Puis trouve les mots corrects sur la liste ci-dessous.

Exemple
1 tube = disque

Mets en argot

Récris ce dialogue en utilisant le maximum d'argot possible!

– Viens! On va en ville.
– Tu prends ta mobylette?
– Non, on va dans la voiture de Philippe.
– De qui?
– De ce garçon-là.
– Karine ne vient pas?
– Non, elle travaille. Dis donc, tu n'as pas d'argent?
– J'ai cent francs.
– Bien. On peut manger là-bas. Vite! Dépêche-toi!

Invente d'autres dialogues toi-même en te servant d'argot.

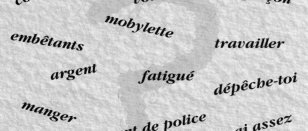

collège   voiture   garçon
mobylette
embêtants   travailler
argent   fatigué
dépêche-toi
manger
agent de police   j'en ai assez
disque   francs   sans argent

Nous et eux

◆ Nous, on dit fric
Eux, ils disent argent
Mais c'est la même chose

◆ Nous, on dit pourquoi
Eux, ils disent parce que
Mais c'est le même problème

◆ Nous, on dit bahut
Eux, ils disent collège
Mais c'est le même endroit

◆ Nous, on dit bonjour
Eux, ils disent au revoir
Mais c'est le même monde

Et si on sortait?
Sers-toi de cette page pour improviser des conversations.

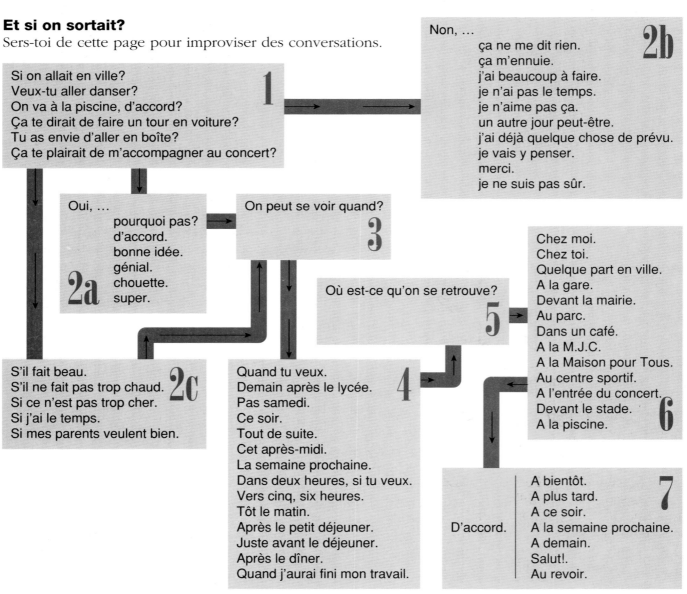

1
Si on allait en ville?
Veux-tu aller danser?
On va à la piscine, d'accord?
Ça te dirait de faire un tour en voiture?
Tu as envie d'aller en boîte?
Ça te plairait de m'accompagner au concert?

2b
Non, ...
ça ne me dit rien.
ça m'ennuie.
j'ai beaucoup à faire.
je n'ai pas le temps.
je n'aime pas ça.
un autre jour peut-être.
j'ai déjà quelque chose de prévu.
je vais y penser.
merci.
je ne suis pas sûr.

2a
Oui, ...
pourquoi pas?
d'accord.
bonne idée.
génial.
chouette.
super.

3
On peut se voir quand?

2c
S'il fait beau.
S'il ne fait pas trop chaud.
Si ce n'est pas trop cher.
Si j'ai le temps.
Si mes parents veulent bien.

4
Quand tu veux.
Demain après le lycée.
Pas samedi.
Ce soir.
Tout de suite.
Cet après-midi.
La semaine prochaine.
Dans deux heures, si tu veux.
Vers cinq, six heures.
Tôt le matin.
Après le petit déjeuner.
Juste avant le déjeuner.
Après le dîner.
Quand j'aurai fini mon travail.

5
Où est-ce qu'on se retrouve?

6
Chez moi.
Chez toi.
Quelque part en ville.
A la gare.
Devant la mairie.
Au parc.
Dans un café.
A la M.J.C.
A la Maison pour Tous.
Au centre sportif.
A l'entrée du concert.
Devant le stade.
A la piscine.

7
D'accord.
A bientôt.
A plus tard.
A ce soir.
A la semaine prochaine.
A demain.
Salut!.
Au revoir.

On va où?

Orchestre des Pays de Savoie
DIRECTION MUSICALE TIBOR VARGA
DIRECTION MUSICALE ET SOLISTE
TIBOR VARGA
violon
BACH/STRAUSS/VIVALDI
MEGEVE
JEUDI 19 JUILLET
21 H 00
Palais des Sports
et des Congrès

15 Juillet
à partir de 15 heures
PATROUILLE MARTINI
SAINT-ANTOINE Isère
lieu dit "LA CONTAMINE"
GRANDE FETE AERIENNE
VOLTIGE AERIENNE
PARACHUTISME
MONTGOLFIERE
AEROMODELISME
Spectacle Gratuit pour enfants moins 12 ans
REPAS CHAMPETRE
Vol Captif en Montgolfière **1990**
Renseignement à la Mairie — Tél. 76.36.42.08

ALEXANDRE BOUGLIONE
OUST
LUNDI 12 AOUT

LA DISCOTHEQUE DES ETUDIANTS
LA CALYPSO
Pour les FILLES entrée gratuite
du DIMANCHE au JEUDI
(Sauf jours fériés)
CONCERT AVEC LES "JOKERS" MERCREDI 23 MAI
Chemin de l'Epervière - 26000 VALENCE - Tél. 75 42 33 74

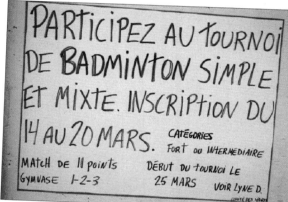

PARTICIPEZ AU tournoi DE BADMINTON SiMPLE ET MiXTE. INSCRIPTION DU 14 AU 20 MARS. CATÉGORIES FORT ou INTERMEDIAIRE
MATCH DE 11 PoiNtS GYMNASE 1-2-3
DÉBUT DU tournoi LE 25 MARS VOIR LYNE D.

A

Ecoute les conversations. On parle de quel événement?

B

Regarde les photos et réponds aux questions suivantes.

1 Ça coûte combien l'entrée à la Calypso un lundi soir pour une fille?
2 A quelle heure commence la fête aérienne?
3 Quelle est la date du concert classique?
4 Quand commence le tournoi de badminton?
5 C'est quand le cirque?

C

Voici quelques réponses. Quelles étaient les questions?

1 C'est la discothèque des étudiants.
2 Il y a le parachutisme, l'aéromodélisme, la voltige aérienne et la montgolfière.
3 Dans le gymnase.
4 Tibor Varga.
5 Au Palais des Sports.

☆ **A toi maintenant**
Ecris un message à un copain ou une copine pour l'inviter à un des événements ci-dessus. N'oublie pas de lui dire où et quand ça se passe!

Le monde des sports

l'alpinisme
l'athlétisme
le badminton
le basket
le billard
les boules
la boxe
le canoë-kayak
le cyclisme
la danse
l'équitation
l'escalade
l'escrime
le football
le football américain
le footing
le golf
la gymnastique
l'haltérophilie
le handball
le hockey sur gazon
le hockey sur glace
le judo
le karaté
le karting

la lutte
le motocross
la musculation
la natation
le parachutisme
le parapente
le patinage sur glace
le patinage à roulettes
la pétanque
la planche à voile
la plongée
le rugby
le sauvetage
le ski
le ski nautique
la spéléo
le squash
le tennis
le tennis de table
le tir
le tir à l'arc
le trampoline
la voile
le volley-ball
le water-polo

C'est quoi comme sport?

Travaille avec ton/ta partenaire. Choisis un sport ou une activité. Ton/ta partenaire essaie de deviner ce que c'est en posant les questions suivantes:

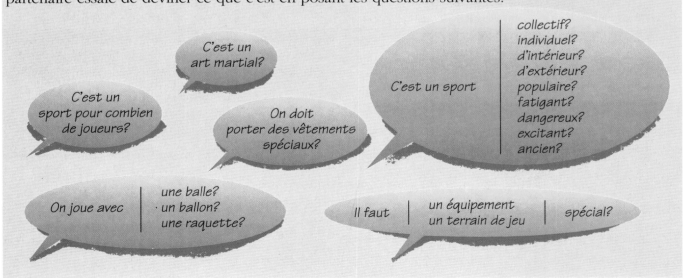

C'est un art martial?

C'est un sport pour combien de joueurs?

On doit porter des vêtements spéciaux?

C'est un sport | collectif? / individuel? / d'intérieur? / d'extérieur? / populaire? / fatigant? / dangereux? / excitant? / ancien?

On joue avec | une balle? / un ballon? / une raquette?

Il faut | un équipement / un terrain de jeu | spécial?

La parole aux champions

Lis les commentaires de ces sportifs. Puis lis les remarques ci-dessous. Qui a dit quoi?

Exemple

A = Didier Auriol

J'ai un plaisir fou à conduire en rallye, à chercher les dixièmes de seconde. Au volant, je ressens les moindres vibrations de ma voiture. Je fais corps avec elle.

Didier Auriol, rallye, champion de France

En kayak, je vais où je veux. Je décide moi-même de mon destin. Je cherche la trajectoire la plus rapide, en évitant les vagues qui freinent le bateau, et les rochers qui pourraient le casser. C'est une expérience fantastique.

Myriam Jerusalmi, kayak, championne du monde et vainqueur de la coupe du monde de slalom

A «Quand je roule en ville j'essaie de rouler plus lentement – mais j'ai toujours envie de dépasser les autres véhicules!»

B «On apprend à apprécier la nature, l'air frais de la montagne et, bien sûr, la bonne forme.»

C «On a envie de faire ce sport parce qu'on se protège sans faire de mal à son adversaire.»

D «J'ai commencé à aimer ce sport au moment où j'ai appris à profiter des courants, à utiliser la puissance de la rivière.»

E «C'est le meilleur sport collectif à mon avis. On commence tout de suite à considérer les autres joueurs comme des amis. On essaie toujours de penser aux autres parce que, comme ça, l'équipe fonctionne mieux et on risque de gagner plus souvent.»

F «Je n'aime pas trop les sports collectifs. Je préfère me confronter seul à mon adversaire et le battre par ma technique – sans contact physique.»

☆ A toi maintenant

Que fais-tu comme sports? Tu fais partie d'un club? Tu t'entraînes combien de fois par semaine? Tu le pratiques depuis combien de temps? Quel est ton sport préféré? Explique un peu pourquoi tu aimes ce sport.

J'ai commencé à faire de l'escrime à sept ans. J'ai vite décidé de m'entraîner sérieusement. Je suis devenu très fort en défense. J'adore aussi faire les grandes attaques.

Jean-François Lamour, sabre, médaille d'or aux Jeux Olympiques

Je fais sept heures d'entraînement à vélo, par jour. En montagne, je descends des cols à 100 kilomètres à l'heure. Santé, sérieux et caractère indispensables!

Catherine Marsal, cyclisme, vice-championne du monde

Karaté veut dire 'main vide'. Vide de toute mauvaise intention! Le karaté, c'est exactement l'inverse de l'agressivité. C'est un sport de combat fabuleux, qui apprend à s'adapter très vite.

Thierry Masci, karaté, champion d'Europe

Le rugby, c'est d'abord un sport d'équipe. On apprend à penser à ses copains. Ça renforce l'amitié. Si un jeune est timide, ça lui forge le caractère. S'il est individualiste, ça lui apprend que les autres existent. C'est une superbe école de la vie!

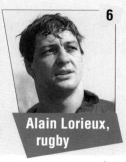

Alain Lorieux, rugby

Rappel

J'ai commencé		à	jouer à l'âge de huit ans. faire de l'escrime à l'école.
On	commence apprend		apprécier les autres joueurs. penser à ses copains. s'adapter vite.
J'essaie		de	jouer deux fois par semaine.
J'ai décidé			m'entraîner sérieusement.
On a envie			faire ce sport parce que ...

Au restaurant

Regarde ces menus. Que choisirais-tu dans chacun?

Menu à 100 francs

Hors d'œuvre

Salade composée
Terrine de saumon
Potage de légumes
Assiette de fruits de mer
Moules marinières

Plats

Entrecôte grillée
Côtelette d'agneau aux herbes
Choucroûte garnie
Sole meunière
Magret de canard

Plateau de fromages

Desserts

Charlotte aux fraises
Gâteau au chocolat
Crêpe flambée au rhum
Ile flottante
Crème caramel

Service compris

Menu à 70 francs

Salade composée
Assiette de charcuterie
Assiette de crudités
Potage de légumes

Escalope de veau
Rôti de porc
Omelette aux champignons
Poulet aux olives

Fromage ou dessert

Crème caramel
Sorbet
Ile flottante
Tarte maison

Invente des conversations en remplaçant les mots en vert par d'autres plats.

– Vous avez choisi?
– Pas encore. Il nous faut encore un peu de temps.
(Cinq minutes après.)
– Qu'est-ce que vous prenez?
– On prend le menu à cent francs. Pouvez-vous nous renseigner sur les hors d'œuvres?
– Oui, bien sûr.
– Est-ce qu'il y a de la viande dans la salade composée?
– Non, il n'y en a pas.
– Alors on prend deux salades composées et une assiette de fruits de mer
– Et après?
– Deux entrecôtes et une côtelette d'agneau.
– Et comme légumes?
– Des haricots verts et des pommes de terre.
– Et comme boisson?
– Pouvez-vous nous apporter de l'eau minérale et deux oranginas?

Qu'est-ce que c'est exactement?

Voilà des définitions de plats. Regarde encore une fois les menus et lis les définitions. Relie-les aux bons plats.

Exemple

1 Assiette de charcuterie

1 Plusieurs sortes de saucissons, de jambons et de pâtés.

2 C'est un pâté de saumon.

3 Un morceau de bœuf grillé.

4 C'est du poisson accompagné d'un beurre fondu.

5 C'est un blanc d'œuf battu flottant sur de la crème anglaise avec un fond de caramel.

6 Ce sont des morceaux de canard.

7 C'est un gâteau fait avec des biscuits, des fraises et une crème.

8 C'est du chou fermenté accompagné de charcuterie et de viande.

9 C'est de la soupe.

10 C'est une tarte aux fruits faite au restaurant même.

ALPHONSE et...

J'AI DÉCIDÉ DE FAIRE QUELQUE CHOSE DE VRAIMENT SPÉCIAL POUR FÊTER MES QUINZE ANS! JE REFUSE D'AVOIR ENCORE UNE DE CES HORRIBLES RÉUNIONS DE FAMILLE.

SI ON ALLAIT AU RESTAURANT?

D'ACCORD, SI C'EST TOI QUI PAIES.

MOI, JE SUIS FAUCHÉ!

ALORS, POURQUOI PAS UN PIQUE-NIQUE À LA MONTAGNE?

EN CETTE SAISON IL RISQUE DE FAIRE MAUVAIS LÀ-HAUT!

J'AI PROPOSÉ AUX COPAINS DE FAIRE UNE SORTIE POUR MON ANNIVERSAIRE MAIS ILS NE VEULENT PAS.

NE T'EN FAIS PAS. J'AI TOUT PRIS EN MAIN. J'AI INVITÉ DE LA FAMILLE. IL Y AURA MÊME MÉMÉ ET PÉPÉ, ONCLE CLAUDE, TANTE HÉLÈNE ET LES JUMEAUX...

Un week-end fou

Lis la lettre de Séverine puis complète les phrases ci-dessous.

Dieppe, le 6 juin

Chère Laure,

Je viens de passer un week-end fou! Vendredi soir, je suis allée chez mes cousins à Draveil, pas loin de Paris. Ils sont venus me chercher à la gare et on est allé dîner tout de suite dans un petit restaurant. Puis on est allé à une boum. On a dansé jusqu'à deux heures du matin. Je commençais à être fatiguée mais c'était extra quand même! Le samedi matin on a décidé de se lever de bonne heure pour aller au marché. J'ai acheté plein de choses: une jupe, des collants et un pull. L'après-midi, on est allé jouer au tennis dans un grand centre aéré puis on est allé au cinéma. A dix heures du soir on est sorti manger une pizza! Le dimanche matin on a fait un tour à vélo dans la forêt de Sénart. Que ça faisait du bien! Après on a pris le train pour Paris. Il faisait un temps superbe et on a flâné tout l'après-midi. Je suis rentrée dimanche soir à onze heures. J'étais crevée mais c'était chouette!

*Grosses bises
Séverine*

Recopie et complète ces phrases au passé composé:

1 Vendredi soir Séverine est _____.
2 Elle a _____ avec ses cousins dans un petit restaurant.
3 Ensuite elle _____.
4 Samedi matin elle a _____.
5 Elle _____ des vêtements au marché.
6 Avant d'aller au cinéma, Séverine et ses cousins ont _____.
7 A dix heures elle a _____.
8 Après avoir fait un tour à vélo dimanche matin, ils _____.
9 A Paris elle _____ avec ses cousins.
10 Enfin elle _____ à onze heures.

🏠 A faire chez toi

Prépare une réponse à ces questions, par oral ou par écrit.

C'était quand, la dernière fois que tu es allé(e) au restaurant?

Qu'as-tu mangé?

Et la dernière fois que tu es parti(e) pour un week-end?

Raconte-moi où tu es allé(e) et ce que tu as fait.

Pas**vrai!**

Les Jeux Olympiques

Ce sont les Grecs qui ont inventé les Jeux Olympiques. Les plus anciens Jeux connus datent de 776 avant Jésus-Christ. Cette année-là, ils consistaient en une seule course de 192 mètres. Les athlètes étaient toujours nus. Bientôt les activités se sont multipliées. Les Jeux, interdits aux étrangers et réservés aux hommes, duraient cinq jours. Le dernier jour il y avait l'épreuve la plus populaire et la plus dangereuse: la course des chars.

En 67 après Jésus-Christ, la Grèce est devenue romaine. Les Romains ont introduit aux Jeux des combats cruels entre gladiateurs et bêtes sauvages. Mais en 394 l'empereur Théodose, devenu chrétien, a arrêté les Jeux.

Pendant des siècles, les Jeux ont été oubliés. Seule l'Angleterre a gardé des traditions sportives. C'est un Français, Pierre de Coubertin, impressionné par le sport dans les collèges anglais,

qui a introduit l'éducation physique dans toutes les écoles de France. En 1892 il a commencé à parler de restaurer les Jeux Olympiques. Quatre ans plus tard, en 1896, les Jeux ont eu lieu à Athènes. Coubertin a décidé d'ajouter trois nouveaux sports, le cyclisme, l'escrime et le tir. C'est lui aussi qui a choisi pour les Jeux la devise latine qu'ils ont toujours: 'citius, altius, fortius', 'plus vite, plus haut, plus fort'.

Pierre de Coubertin en 1892

Quiz sport

1 Il y a combien de joueurs dans une équipe de football américain?
a douze　　**b** onze　　**c** seize

2 Quelle est la hauteur des poteaux des buts de football?
a 2,4 mètres　**b** 3 mètres　**c** 1,8 mètres

3 Le volleyball a été inventé dans quel pays?
a la France　**b** le Japon　**c** les États-Unis

4 En judo de quelle couleur est la ceinture qui vient après la ceinture bleue?
a blanche　　**b** brune　　**c** noire

5 On a inventé le sport 'lacrosse' dans quel pays francophone?
a Guadeloupe　**b** Canada　**c** Belgique

6 Il faut marquer combien de points pour gagner un match de badminton?
a quinze　**b** vingt et un　**c** dix-huit

7 Combien de remplaçants sont autorisés pour chaque équipe dans un match de football en championnat?
a quatre　　**b** deux　　**c** un

8 De quelle couleur est la piste de ski la plus difficile?
a rouge　　**b** noire　　**c** blanche

9 Comment s'appelle le concours le plus célèbre du monde pour les coureurs cyclistes?
a Le Tournoi des Cinq Nations
b Les 24 heures du Mans
c Le Tour de France

10 Dans quel sport est-ce qu'on voit des mêlées?
a le rugby　　**b** la pêche　　**c** le tennis

(Solution à la page 193)

Blague

– Céline, j'espère que tu laisses ton petit frère jouer avec ta luge?

– Oh oui, maman! Lui il l'a pour monter, et moi pour descendre.

Station service

Using **si** in different ways

Si	on allait	en ville?	Shall we go into town?
		au restaurant?	Shall we go to a restaurant?

Si	tu veux.	If you want.
	ce n'est pas trop cher.	If it's not too expensive.

S'il	fait beau.	If the weather's good.

S'il	vous	plaît.	Please. (= If it pleases you.)
	te		

Using **on** instead of **nous**

On	va à la piscine?	Shall we go to the swimming pool?	**188**
	peut se voir quand?	When shall we meet?	
	se retrouve où?	Where shall we meet?	

Verbs which are followed by **à** or **de** + infinitive

J'ai commencé	à	aimer ce sport.	I started to love this sport.	**183**
		faire de l'escrime.	I started fencing.	
		être fatigué(e).	I started to feel tired.	

Je n'arrive pas	à	me concentrer.	I can't manage to concentrate.

On	commence	apprécier les autres joueurs.	You begin to appreciate the other players.
	apprend	à penser à ses copains.	You learn to think about your friends.
		s'adapter vite.	You learn to adapt quickly.

J'essaie	de	rouler lentement en ville.	I try to drive slowly in town.

Je refuserais	de	faire ça.	I would refuse to do that.

Tu as envie	de	jouer?	Do you want to play?

On a	envie	d'	aller en boîte.	We want to go to a nightclub.
	décidé	de	se lever de bonne heure.	We decided to get up early.
			jouer au tennis.	We decided to play tennis.

On risque	de	gagner plus souvent.	There's a chance you'll win more often.

Elle t'a permis	de	sortir?	Did she allow you to go out?

Verbs which do not require **à** or **de** before the infinitive

Tu	veux	aller danser?	Do you want to go dancing?	**182**
		jouer au volleyball?	Do you want to play volleyball?	

Le patron	voudrait	te voir.	The boss would like to see you.

On	peut	se voir quand?	When can we meet?

Pouvez-vous	nous	apporter de l'eau minérale?	Can you bring us some mineral water?
		renseigner sur les hors d'œuvres?	Can you tell us about the starters?

Discothèque

Regarde le poster. Recopie le dialogue en remplaçant les blancs par les mots ci-dessous.

Exemple

Veux-tu aller *danser?*

– Veux-tu aller _____?
– Bonne _____.
– On peut se voir _____?
– Vers huit heures et _____.
– Où est-ce qu'on se _____?
– Devant la _____.
– A plus _____ alors.
– A ce _____.

idée

quand

discothèque   retrouve

demie   tard

soir   danser

C'est de l'argot ça?

Voici des mots en argot et en français 'normal'.
Relie-les en dressant deux listes.

Exemple

argot	français 'normal'
la bagnole	la voiture

le collège   le flic   le fric   manger   l'argent   la voiture

la bagnole   un garçon   l'agent de police   un mec   bouffer   le bahut

Omnisports

Nomme les sports illustrés!

On joue?

Relie les photos aux textes et nomme les cinq sports décrits.

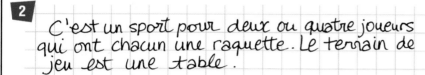

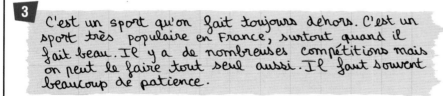

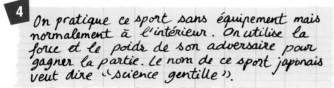

1 C'est un sport qu'on pratique normalement dans un club. Ça peut être dangereux si on ne fait pas attention. On atteint une cible avec une flèche. Ça demande beaucoup de précision.

2 C'est un sport pour deux ou quatre joueurs qui ont chacun une raquette. Le terrain de jeu est une table.

3 C'est un sport qu'on fait toujours dehors. C'est un sport très populaire en France, surtout quand il fait beau. Il y a de nombreuses compétitions mais on peut le faire tout seul aussi. Il faut souvent beaucoup de patience.

4 On pratique ce sport sans équipement mais normalement à l'intérieur. On utilise la force et le poids de son adversaire pour gagner la partie. Le nom de ce sport japonais veut dire «science gentille».

5 Pour faire ce sport il faut un bon équipement et il faut aussi être bon nageur. C'est un sport d'extérieur.

Quel mois?

1 Quel mois a autant de voyelles que de consonnes?
2 Quel mois a trois fois plus de voyelles que de consonnes?
3 Quel mois a le plus de lettres?
4 Quel mois est le sixième dans le dictionnaire?
5 Quel mois a une seule voyelle?

A la crêperie

Antoine, Céline et Mourad sont allés ensemble à la crêperie. Ils ont commandé trois galettes. Antoine n'aime pas le fromage et Céline n'aime pas trop les tomates. Regarde le menu et l'addition et décide combien chacun a payé.

Galettes

Les galettes sont des crêpes salées, à la farine de sarrasin (appelée aussi "Blé noir").
Elles sont garnies des différents ingrédients énumérés ci-dessous et constituent, pour les plus importantes, un véritable repas complet.
On les accompagne traditionnellement de cidre brut.

Jambon	
Fromage	29 frs
Oeuf	29 frs
Oeuf / jambon	23 frs
Complète (Oeuf, jambon, fromage)	34 frs
Italienne (Jambon, fromage, tomate)	39 frs
Royale (Oeuf, jambon, fromage, tomate)	39 frs
Super (Steak haché, fromage, oeuf)	44 frs
Savoyarde (Pomme de terre, jambon, fromage, cornichon)	39 frs
Larzac (Roquefort, jambon)	44 frs
Spéciale (Roquefort, jambon, oeuf)	34 frs
Popeye (Oeuf, jambon, épinards)	39 frs
Burger (Oeuf, steak haché, fromage, tomate)	36 frs
Caussenarde (Saucisse, pomme de terre, fromage, oeuf)	55 frs

Service compris

La Crêperie

1 Complète 39.00
1 Royale 44.00
1 Popeye 36.00

Total 119.00
Service compris

Que disent-ils?

Ecris des sous-titres pour chaque dessin à partir des verbes donnés. Attention! On emploie 'à' ou 'de' avant l'infinitif?

Exemple

commencer + avoir faim
Je commence à avoir faim.

1 essayer + parler

2 apprendre + jouer

3 risquer + tomber

4 décider + prendre

5 ne pas arriver + faire

6 refuser + payer

Un match de basket est un spectacle!

Lis cette interview avec Frédéric Hufnagel, champion français de basket.
Puis complète l'exercice 'vrai ou faux?'.

– *Pourquoi vous aimez le basket?*
– Un match de basket est un spectacle. De plus le basket est un sport américain et comme tous les autres sports américains, le baseball par exemple, c'est un sport très tactique qui exige beaucoup de réflexion et de précision.

– *Vous aimez tous les jeux collectifs?*
– Oui, ces sports apprennent à vivre avec les autres. On apprend vite qu'on n'est pas tout seul sur le terrain et que l'équipe, pour être forte, doit être unie.

– *Comment êtes-vous venu au basket?*
– Ma mère était institutrice, alors, dès l'âge de cinq ou six ans, j'ai joué au ballon dans la cour de l'école. Nous faisions toutes sortes de jeux collectifs: rugby, basket, football. Mon père jouait aussi dans une équipe de basket. Le basket a donc été le premier sport que j'ai pratiqué de façon systématique. Peu à peu ce sport est devenu pour moi une passion. A seize ans, j'ai commencé à participer à des stages nationaux.

– *Faut-il être grand pour jouer au basket?*
– Au niveau de la compétition, c'est pratiquement obligatoire. Les joueurs professionnels mesurent au minimum 1m75.

– *Vous suivez une discipline de vie très stricte?*
– Comme tous les sportifs, je dois surveiller mon alimentation, je ne bois pas et je ne fume pas. Mais, dans ma région, le sud-ouest, il y a beaucoup de bons vins et de nombreuses spécialités gastronomiques. Alors, de temps en temps je craque.

– *Vous jouez souvent en équipe de France?*
– J'aime beaucoup jouer en équipe nationale. Pas seulement parce qu'on peut participer à des tournois internationaux, mais aussi parce qu'on mène une vie d'équipe plus intense. Quand on vit presque vingt-quatre heures sur vingt-quatre avec ses coéquipiers, on devient très amis.

Vrai ou faux?

1 Hufnagel aime ce sport non seulement parce que c'est spectaculaire mais aussi parce qu'il faut de la concentration et de l'intelligence au jeu.

2 Il préfère jouer seul au milieu du terrain.

3 A l'âge de cinq ans déjà il commençait à apprendre le basket.

4 Grâce à son père il a passé plus longtemps à jouer au basket qu'aux autres jeux collectifs.

5 A seize ans il était champion national de basket.

6 Si on n'est pas assez grand on risque de ne jamais pouvoir jouer au basket comme joueur professionnel.

7 Il ne boit jamais d'alcool et résiste toujours aux plats gastronomiques.

8 Il ne joue plus en équipe nationale.

9 Il a appris à apprécier l'importance de l'équipe.

10 Malgré la vie d'équipe il n'a pas de très bons amis parmi ses coéquipiers.

LE TOUR DE FRANCE

Vu et lu

Tu t'y connais en cyclisme? C'est un des sports les plus populaires de la France. La France a été le premier pays à valoriser comme sport compétitif le cyclisme car la première course cycliste du monde a eu lieu au Parc de Saint Cloud à Paris en 1868. Le premier championnat du monde en cyclisme a eu lieu 25 ans plus tard en 1893. Puis, en 1900, cinq pays fondateurs – la France, les Etats-Unis, l'Italie, la Belgique et la Suisse – ont établi l'Union Cycliste Internationale (UCI) pour co-ordonner et surveiller tous les événements cyclistes.

Le Tour de France, la course cycliste la plus prestigieuse du monde attire, chaque année, les meilleures équipes et des coureurs venus d'horizons très divers: Colombiens, Américains, Norvégiens, etc.

Le Tour de France de 1930

En juillet 1994 le Tour de France est passé par le Tunnel sous la Manche

En 1903 Henri Desgrange, journaliste français et amateur de cyclisme, a fondé la course cycliste la plus célèbre et la plus importante du monde, Le Tour de France.

Cette course exigeante qui attire tous les ans plus de 100 coureurs, est divisée en une vingtaine d'étapes (une étape = un jour) qui parcourent jusqu'à 4 800 kilomètres. Pendant trois semaines environ les coureurs doivent faire le tour de toute la France.

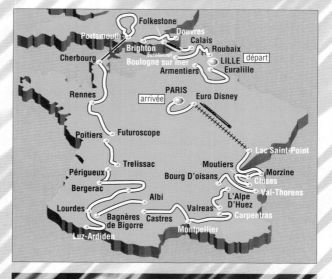

3 semaines de route à vélo pour faire le Tour de France

Non seulement pourtant les coureurs sont-ils obligés de parcourir toute la France, on leur demande aussi de temps en temps de visiter lors de la course un pays voisin de la France, c'est-à-dire l'Espagne, l'Italie, la Belgique, l'Allemagne ou la Suisse. En plus, des milliers de spectateurs britanniques ont pu assister au Tour de France en Angleterre pour la première fois en 1974. D'ailleurs en 1994, suite à l'ouverture d'Eurotunnel, les coureurs ont fait la traversée de la Manche par Le Shuttle de Calais à Folkestone, afin de compléter deux étapes dans le Sud.

LE TOUR DE FRANCE

La course consiste en étapes de plat et étapes de montagne. A la fin de chaque étape on calcule le temps de chaque équipe de sept coureurs et de chaque coureur. Le coureur qui fait le temps le plus rapide a le droit de porter le lendemain le maillot vert. Le porteur du maillot jaune a le meilleur temps pour toutes les étapes parcourues. Une fois en montagne, les cyclistes qui préfèrent grimper ont l'occasion de se faire remarquer. Le coureur qui fait le meilleur temps d'étape de col porte le maillot à pois rouges.

C'est dans les étapes de cols que les coureurs rencontrent l'accueil le plus enthousiaste, comme le prouve le public très nombreux. Ici on voit le meilleur grimpeur de l'étape précédente, désigné de son maillot à pois rouges.

le maillot vert, récompensant le gagnant de l'étape précédente

le maillot jaune, récompensant celui qui mène la course

le maillot à pois rouges, récompensant le meilleur grimpeur

Après trois semaines le Tour arrive aux Champs Elysées

Qu'en pensent les coureurs en arrivant à Paris à la fin du Tour? Il est sûr qu'une certaine fatigue s'installe au bout de ces trois semaines de course; on fait, tous les jours, la même chose, on mange, tout le temps, la même chose. On n'a qu'une envie: c'est d'arriver sur les Champs Elysées! Terminer un Tour de France, après ces milliers de kilomètres parcourus sur un vélo, c'est toujours une grande satisfaction. Remonter les Champs Elysées vidés de toutes voitures, avec cette foule immense, ça donne la chair de poule!

Roman photo

Un jour, en sortant de l'école.

Salut!

Salut.

Chez Fabienne.

Ah! Tu n'es pas au travail?

Je n'ai plus de travail. J'ai été licenciée.

Le lendemain matin.

Qu'est-ce que tu fais?

Je ne fais rien. Je ne me sens pas très bien, c'est tout.

Allez, vite. Il faut aller à l'école.

Je n'ai pas envie. Ça ne m'intéresse plus.

C'est parce que tu ne fais aucun effort. Mais c'est comme ça qu'on avance. En travaillant. Pas en perdant son temps avec des gens comme Luc. Tu n'auras jamais un bon emploi si tu ne travailles pas.

Et toi? Qu'est-ce que tu as fait?

Justement! Je ne veux pas te voir faire les mêmes erreurs que moi.

C'est pour ton bien que je le dis. Je n'ai personne à part toi.

Allez. A ce soir.

Le soir même, en rentrant.

Luc! C'est pas vrai!

Ça fait mal!

Chaque personne est blessée ou est malade et ne peut pas faire quelque chose.
Choisis les phrases qui vont ensemble. Ecoute la cassette pour vérifier tes réponses.

Exemple
1 H

1 Céline ne peut pas chanter aujourd'hui.
2 David ne peut pas jouer au foot cet après-midi.
3 Hier soir pendant son match, Madeleine s'est fait mal à la main.
4 En allant à l'école, Annette s'est tordu la cheville.
5 Leila a mal à l'oreille.
6 Hier soir Seydi est tombé en faisant du vélo. Il a mal au dos.
7 Mireille ne peut pas aller à la discothèque ce soir.
8 Robert ne peut pas aller au restaurant.
9 Pierre a la diarrhée.
10 Hélène n'ira pas en vacances faire du ski cet hiver.

A Aujourd'hui elle ne peut pas écrire.
B Il ne se sent pas bien du tout. Il a mal à l'estomac.
C Aujourd'hui, pas de match de volley-ball pour elle.
D Il ne peut pas aller à la leçon de judo ce soir.
E Il ne peut rien manger aujourd'hui.
F Elle a mal à la tête.
G Il a mal à la jambe.
H Depuis ce matin, elle a mal à la gorge.
I Elle s'est cassé la jambe.
J Elle ne peut pas aller à la piscine.

Un peu trop

Recopie et complète ces phrases en choisissant une expression appropriée.

1 J'ai trop crié au match de foot. J'ai mal _____.
2 J'ai fait trop de jardinage. J'ai _____.
3 J'ai porté cette valise trop longtemps. J'ai _____.
4 J'ai écouté la musique trop fort. J'ai _____.
5 J'ai passé trop de temps à regarder cet écran. J'ai _____.
6 J'ai mangé trop de bonbons. J'ai _____.
7 J'ai passé toute la journée à me promener en ville. J'ai _____.

Rappel

Ça ne va pas.

Je	ne me sens pas bien. suis malade.			
J'ai mal	partout.			
	à la	gorge. tête. jambe.		
	à l'	œil. oreille. estomac.		
Céline Robert	est malade.			
Elle Il	a	mal	au	dos. ventre.
			aux	dents. pieds. yeux.
	la grippe.			

Va chez le pharmacien

En France quand ce n'est pas très grave, on va plutôt chez le pharmacien que chez le médecin. Le pharmacien conseille et donne un traitement ou des médicaments pour un mal de ventre, pour un mal de tête, un petit rhume, un début de grippe ou une piqûre d'insecte. Là, le pharmacien donne les médicaments sans ordonnance. Lis et écoute les dialogues. Quel est le problème et quel est le remède?

comprimés

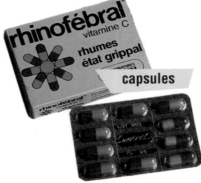

capsules

Fervex

sachets

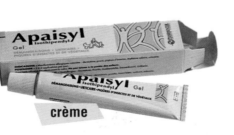

pastilles

crème

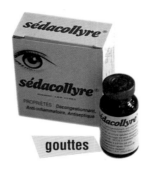

gouttes

sirop

1
– Bonjour, monsieur. J'ai très mal à la tête.
– Prenez **deux comprimés** d'aspirine trois fois par jour au début du repas pendant **deux** jours.

2
– Bonjour. Depuis ce matin je ne me sens pas bien. Je crois que j'ai **la grippe**.
– Est-ce que vous avez de la fièvre?
– Non.
– Eh bien, prenez ces **sachets** trois fois par jour pendant **cinq** jours.

3
– Je peux vous aider, monsieur?
– J'ai vraiment très mal au **ventre**
– Vous avez la diarrhée ou des vomissements?
– Non.
– Prenez ce **sirop**. Deux cuillers à soupe trois fois par jour après les repas.
– D'accord. Je vous remercie. Combien je vous dois?

Rappel

Prenez	ce sirop. ces comprimés. ces pastilles.
Mettez	cette crème.

Premiers soins. Pas de panique!

Est-ce que tu es fort en premiers soins? Choisis la bonne réponse pour chaque situation.

1 Il y a eu un accident de moto. La moto est par terre et le motocycliste est allongé à côté. Qu'est-ce que tu fais?

a Je lui enlève le casque et le blouson, puis je défais les boutons de sa chemise.

b Je reste près de lui et je lui parle calmement en attendant l'ambulance.

2 Qu'est-ce que tu fais si quelqu'un saigne du nez?

a Je lui mets la tête en arrière.

b Je lui dis de se pencher en avant, de se pincer le nez et de rester tranquille pendant cinq minutes.

3 Qu'est-ce que tu fais si quelqu'un s'est mis quelque chose dans le nez?

a J'appelle les pompiers bien sûr.

b J'essaie de le retirer moi-même.

4 Qu'est-ce que tu fais si quelqu'un s'est mis quelque chose dans l'œil, par exemple de la peinture?

a Je lui mets la tête sous l'eau. Quand il ouvre les yeux j'essaie de lui rincer l'œil.

b Je lui essuie les yeux avec un kleenex.

5 Ton frère se renverse sa boisson brûlante sur lui. Qu'est-ce que tu fais?

a Je l'enveloppe dans une couverture et j'appelle très vite le médecin.

b Je le fais prendre une douche froide.

6 Un de tes copains est tombé de vélo. Il a perdu connaissance. Que fais-tu?

a En lui parlant calmement, je note le temps qu'il met pour répondre.

b Je l'allonge sur le dos.

7 Quelqu'un est trop près du feu et ses habits s'enflamment. Qu'est-ce que tu fais?

a Je le couche par terre et je l'enroule dans une bonne couverture.

b Je jette sur lui un seau d'eau.

8 Quelqu'un s'est électrocuté. Qu'est-ce que tu fais?

a Je le couche en lui glissant un coussin sous les jambes.

b Je lui donne à boire.

ALPHONSE et...

TU N'AS PAS FAIM?

JE NE ME SENS PAS BIEN!

QU'EST-CE QUI NE VA PAS? TU AS MAL À LA TÊTE? TU AS MAL AU VENTRE? TU VEUX QUE JE PRENNE TA TEMPÉRATURE?

CE N'EST PAS SA TEMPÉRATURE, C'EST SON EMPLOI DU TEMPS QU'IL FAUT VOIR. IL A UN CONTRÔLE DE GÉO EN PREMIÈRE HEURE ET IL N'A PAS RÉVISÉ!

Le SIDA

Fais correspondre les questions et les réponses.

1 Qu'est-ce que le SIDA?
2 Qu'est-ce qu'un virus?
3 Quels sont les effets du virus VIH?
4 Quelle est la différence entre un 'séropositif' et un 'sidéen'?
5 Comment peut-on savoir si on est porteur du virus du SIDA?

A C'est un germe microscopique qui provoque des maladies, en s'introduisant à l'intérieur des cellules du corps humain.

B En passant un test, à partir d'une prise de sang.

C C'est une maladie (syndrome d'immuno-déficience acquise) provoquée par un virus, appelé le virus VIH.

D Ce virus détruit les globules blancs qui défendent le corps contre les infections. Sans défenses naturelles la personne résiste de moins en moins bien aux infections.

E Un séropositif est une personne qui a été contaminée par le virus VIH. Un sidéen est quelqu'un chez qui le virus a déjà commencé à détruire les globules blancs.

Tu t'y connais?

C'est vrai ou faux?

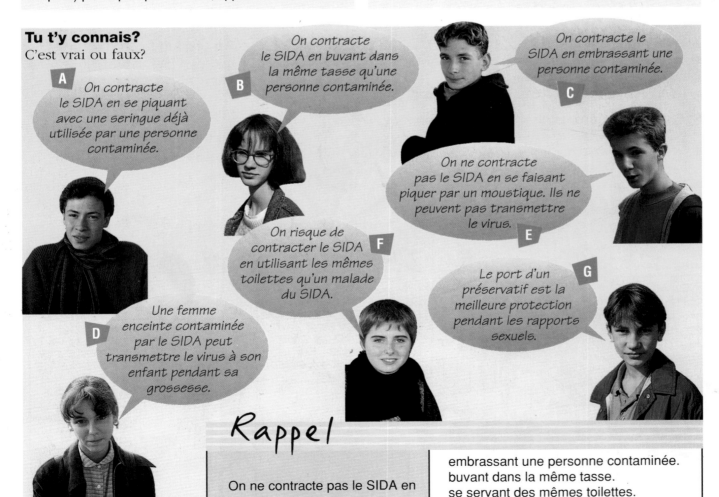

A On contracte le SIDA en se piquant avec une seringue déjà utilisée par une personne contaminée.

B On contracte le SIDA en buvant dans la même tasse qu'une personne contaminée.

C On contracte le SIDA en embrassant une personne contaminée.

D Une femme enceinte contaminée par le SIDA peut transmettre le virus à son enfant pendant sa grossesse.

E On ne contracte pas le SIDA en se faisant piquer par un moustique. Ils ne peuvent pas transmettre le virus.

F On risque de contracter le SIDA en utilisant les mêmes toilettes qu'un malade du SIDA.

G Le port d'un préservatif est la meilleure protection pendant les rapports sexuels.

Rappel

On ne contracte pas le SIDA en | embrassant une personne contaminée.
buvant dans la même tasse.
se servant des mêmes toilettes.
se faisant piquer par un moustique.

Qu'est-ce qui t'inquiète dans la vie?

On a posé la question à une trentaine de jeunes.
Voici quelques réponses. Et toi?

les problèmes de l'environnement
MON AVENIR
MON LÔÔK
mes études
LE RACISME
la guerre
les grandes questions (le sens de la vie, la mort...)
Le Nucléaire
les amis
les problèmes personnels
Le SIDA

Crois-tu en Dieu?

Ma famille est musulmane. Moi, je suis croyant, mais pas pratiquant.

Imaad

Il y a des hommes de toutes les couleurs et de tous les pays qui croient à des centaines de dieux différents. Je pense que Dieu est une invention des hommes.

David

Moi, je suis de religion catholique. La religion tient une assez grande place dans ma vie. Je crois que Dieu nous aime tous, et nous promet la vie après la mort.

Audrey

Au Sénégal la plus grande partie de la population est musulmane. Moi, je suis musulman pratiquant. J'adore ma religion.

Assane

1 Qui est chrétienne pratiquante?
2 Qui n'est pas sûre de ce qu'elle croit?
3 Qui va régulièrement à la mosquée?
4 Qui est athée?
5 Qui croit, mais ne pratique pas sa religion?

Je trouve que la science ne peut pas tout expliquer. Mais pour moi, c'est difficile de croire que Dieu existe. Pourquoi n'arrêterait-il pas les guerres et les famines s'il existait?

Camille

L'adolescence c'est ...

Ces jeunes parlent de l'adolescence. Dresse deux listes: ceux qui trouvent que c'est une bonne période de la vie; et ceux qui la trouvent plutôt difficile.

«On se sent adulte, on n'est plus un enfant, mais on est toujours traité comme des enfants.» **Adrien**

«On se dispute avec ses parents, ils ne nous comprennent pas.» **Vincent**

«L'adolescence est une partie très importante de la vie. On apprend à devenir plus indépendant. Il faut en profiter le plus possible.» **Justine**

«On n'est ni adulte ni enfant. On a tous les inconvénients sans les avantages.» **Pantxika**

«On a les cheveux gras et des boutons sur la figure. C'est l'horreur!» **Olivier**

«Je pense que l'adolescence est une étape très importante de la vie. C'est la période où l'on change, autant physiquement que moralement. Personnellement, je trouve l'adolescence vraiment géniale!» **Edwige**

«Pour moi, l'adolescence est la meilleure période de ma vie. J'adore les sorties entre copains. Avant l'adolescence, il y avait un mur entre les filles et les garçons. Maintenant, le mur s'écroule.» **Pascal**

Madeleine · (Jacques Brel)

Ce soir j'attends Madeleine, j'ai apporté du lilas.
J'en apporte toutes les semaines, Madeleine, elle aime bien ça.
Ce soir j'attends Madeleine, on prendra le tram 33
Pour manger des frites chez Eugène, Madeleine, elle aime tant ça.

Madeleine, c'est mon Noël, c'est mon Amérique à moi,
Même qu'elle est trop bien pour moi, comme dit son cousin Joël.
Mais ce soir j'attends Madeleine, on ira au cinéma,
Je lui dirai des «Je t'aime», Madeleine elle aime tant ça.

Elle est tellement jolie, elle est tellement tout ça,
Elle est toute ma vie, Madeleine, que j'attends là.

Ce soir j'attends Madeleine mais il pleut sur mes lilas.
Il pleut comme toutes les semaines et Madeleine n'arrive pas.
Ce soir j'attends Madeleine, c'est trop tard pour le tram 33
Trop tard pour les frites d'Eugène, Madeleine n'arrive pas.

Madeleine, c'est mon horizon, c'est mon Amérique à moi,
Même qu'elle est trop bien pour moi, comme dit son cousin Gaston
Mais ce soir j'attends Madeleine, il me reste le cinéma
Je pourrai lui dire des «Je t'aime», Madeleine, elle aime tant ça.

Elle est tellement jolie, elle est tellement tout ça,
Elle est toute ma vie, Madeleine, qui n'arrive pas.

Ce soir j'attendais Madeleine mais j'ai jeté mes lilas
Je les ai jetés comme toutes les semaines, Madeleine ne viendra pas.
Ce soir j'attendais Madeleine, c'est fichu pour le cinéma,
Je reste avec mes «Je t'aime», Madeleine ne viendra pas.
Madeleine, c'est mon espoir, c'est mon Amérique à moi,
Mais sûr qu'elle est trop bien pour moi, comme dit son cousin Gaspard.
Ce soir j'attendais Madeleine, tiens le dernier tram s'en va
On doit fermer chez Eugène, Madeleine ne viendra pas.

Elle est, elle est pourtant tellement jolie, elle est pourtant tellement tout ça,
Elle est pourtant toute ma vie, Madeleine, qui ne viendra pas.

Mais demain j'attendrai Madeleine, je rapporterai des lilas
J'en rapporterai toute la semaine, Madeleine, elle aimera ça.
Demain j'attendrai Madeleine, on prendra le tram 33
Pour manger des frites chez Eugène, Madeleine, elle aimera ça.

Madeleine, c'est mon espoir, c'est mon Amérique à moi,
Tant pis si elle est trop bien pour moi, comme dit son cousin Gaspard.
Demain j'attendrai Madeleine, on ira au cinéma
Je lui dirai des «Je t'aime», et Madeleine, elle aimera ça.

Lettres à l'éditeur

Lis ces deux lettres et complète les phrases sur Myriam et Lucien.

Chouette adolescence

J'ai été horrifié de voir tout ce que des jeunes disent de l'adolescence. Ce n'est pas si horrible que ça! C'est super de se demander comment on sera dans dix ans. C'est amusant de se retrouver ensemble, et c'est excitant de remarquer que l'on commence à s'intéresser à vous.

Pour moi, c'est le meilleur moment de la vie: on rit, on pleure, on aime, on déteste. Bref, on ne s'ennuie jamais! Même si les parents nous empêchent de faire ce qu'on aimerait, on peut le faire en rêve et c'est vraiment chouette!

Lucien

Je veux être libre

Salut à vous tous! Je m'appelle Myriam et j'ai 16 ans. Je voudrais poser une question aux lecteurs. Quand je vois les adultes, même mes parents ou mes profs, quand je vois la vie qu'ils mènent: métro-boulot-dodo, je me dis: 'Plutôt mourir'. Et en plus, d'après les sondages, ils s'estiment heureux. Comment font-ils? Ils n'ont aucun rêve à réaliser, ou quoi?

Quand je pense à mon avenir, j'ai peur. Je ne veux pas me lever et manger tous les jours à la même heure, me coucher tôt parce qu'il faut que je me lève tôt le lendemain ... Je veux faire 'ce que je veux, quand je le veux'! Je veux être 'libre'! Et je ne comprends pas comment on peut penser autrement.

Maintenant, ce que je voudrais savoir, c'est si c'est juste 'l'âge', si ça va passer avec le temps ou bien si c'est vraiment mon caractère. Ma question aux adolescents, c'est: '*Comment voyez-vous votre avenir ? Est-ce que vous pensez comme moi?*'

Myriam

---

1 Myriam trouve la vie de ses parents et ses professeurs _____.

2 Elle a peur de _____.

3 Elle n'aime pas _____.

4 Elle ne veut pas être _____.

5 Lucien pense que l'adolescence est _____.

6 Il aime bien sortir avec _____.

7 Il accepte les décisions de _____.

8 S'il n'a pas la permission de faire quelque chose, il en _____.

★ A toi maintenant

Comment est l'adolescence pour toi? Sers-toi des textes sur ces deux pages pour exprimer tes propres opinions.

Au contraire

Complète les phrases en suivant l'exemple et en te servant du négatif indiqué.

Exemple

Sylvain s'ennuie souvent mais Luc **ne s'ennuie jamais**.

1 Sabéha mange beaucoup mais Laetitia .... (rien)

2 Francine fume toujours mais moi, je .... (plus)

3 Cyril connaît tout le monde mais Joël .... (personne)

4 Anne a beaucoup d'amis mais Muriel .... (aucun ami)

5 Martin sort souvent mais Mélanie .... (jamais)

Rappel

On	se	sent adulte. dispute avec ses parents.				
	apprend à devenir plus indépendant.					
	a	des boutons sur la figure. tous les inconvénients sans les avantages.				
Je	ne	veux	pas	me lever.		
Il	n'	est	plus	un enfant.		
		y a	rien	à faire.		
On	ne	s'ennuie	jamais.			
	n'	est	ni	adulte	ni	enfant.
Ils	n'	ont	aucun	rêve à réaliser.		

Que penses-tu du 20ᵉ siècle?

Des jeunes donnent leur opinion sur le 20ᵉ siècle.
Travaille avec un(e) partenaire et écris les aspects
positifs et négatifs.

Je pense que le 20ᵉ siècle a été à la
fois génial et affreux.
Génial parce que la science a fait
d'énormes progrès: les ordinateurs, les
voitures rapides, les conditions de vie
améliorées et le progrès dans le
domaine de la médecine. Affreux car la
pollution a beaucoup augmenté et le
trou dans la couche d'ozone risque de
s'agrandir. Il a aussi apporté la
guerre mondiale, la drogue.

Sophie

*Pour moi, je trouve que le 20ᵉ siècle,
c'est le progrès dans tout: dans la science,
la technique, les découvertes, les inventions ...
Pour moi, une des inventions les plus géniales
est l'avion. Pouvoir voyager d'un pays à
un autre, en si peu de temps, c'est presque
incroyable.*

Jean-Luc

Le 20ᵉ siècle a été à la fois surprenant
et dégradant. Surprenant, car nous avons
fait un pas vers le futur. Les premiers
pas sur la lune, l'électricité, le
nucléaire, le tunnel sous la Manche,
etc. Et dégradant pour la nature, les
animaux et ... même pour nous.

Nathalie

*J'aime particulièrement le début du 20ᵉ
siècle si riche dans sa littérature, sa musique,
son architecture, sa peinture et ses modes.
C'était aussi le début du féminisme, et ça c'est
très important pour moi.*

Aude

Je pense que le 20ᵉ siècle a apporté de
très bonnes choses ... et des choses
beaucoup moins bonnes. Par exemple, le
20ᵉ siècle a apporté énormément de
progrès dans le domaine de la médecine,
de la découverte, de la recherche. Mais
la pauvreté existe toujours.

Sébastien

Je m'intéresse ...

Fais des interviews en classe. Pose les questions
suivantes, note les réponses, et présente-les sous
forme de diagramme.

Tu t'intéresses ...

à la mode? au sport?
à l'environnement? au progrès scientifique?
à la religion? au progrès médical?
à la politique? aux feuilletons à la télé?
à la musique pop?

Non, pas du tout.
Oui, un peu.
Oui, beaucoup.
Oui, passionnément/énormément.

🏠 A faire chez toi

Prépare une réponse à ces questions, par oral
ou par écrit.

Tu t'intéresses à quoi?

Et qu'est-ce qui t'inquiète particulièrement?

Quand était la dernière fois que tu as été malade?

Qu'avais-tu?

Pas vrai!

Info sciences

Quand le médecin t'examine, il écoute les bruits de ton cœur ou de ta respiration avec un stéthoscope (du grec *stêthos*: poitrine). Cet appareil a été inventé vers 1815 par le médecin breton Laennec (1781–1826), qui s'intéressait aux maladies des poumons.

Poser son oreille directement sur la poitrine des malades n'était ni commode ni hygiénique. Et surtout, on n'entendait pas très bien!

Un jour, Laennec a trouvé une solution en plaçant un cylindre de papier entre son oreille et la poitrine du malade: il a entendu beaucoup mieux! Avec du bois, les sons étaient encore plus nets!

Tu le savais?

Les pays d'Afrique noire n'ont l'argent nécessaire ni pour lutter contre le SIDA ni pour soigner les malades. L'argent utilisé aux États-Unis ou en France pendant un an pour soigner un seul malade du SIDA permet de faire vivre pendant un an le plus grand hôpital du Zaïre!

Blague

Psychiatre: Qu'est-ce qui ne va pas, Monsieur Klebs?

Patient: Docteur, je me prends tout le temps pour un chien.

Psychiatre: Ah bon? Ne vous inquiétez pas. Allongez-vous sur le divan.

Patient: Ah, je ne peux pas. Je n'ai pas le droit de monter sur les meubles!

Mon premier et mon dernier

De quoi s'agit-il dans cette charade? Retire une lettre de chaque phrase pour trouver le bon mot.

Mon premier est dans 'avis' mais pas dans 'opinion'.

Mon deuxième est dans 'malade' mais pas dans 'sain'.

Mon troisième est dans 'œil' mais pas dans 'lire'.

Mon quatrième est dans 'adulte' mais pas dans 'enfant'.

Mon cinquième est dans 'excitant' mais pas dans 'action'.

Mon sixième est dans 'science' mais pas dans 'médecin'.

Mon septième est dans 'croyant' mais pas dans 'priant'.

Mon huitième est dans 'copine' mais pas dans 'copain'.

Mon neuvième est dans 'monde' mais pas dans 'mode'.

Mon dixième est dans 'siècle' mais pas dans 'années'.

Mon onzième est dans 'enfin' mais pas dans 'fini'.

Mon tout est facile à nommer mais impossible à décrire!

(Solution à la page 193)

Station service

Avoir mal

J'ai	mal	partout.	I ache all over.
		à la gorge.	My throat's sore.
		à l'oreille.	I've got earache.
		au ventre.	I've got tummy ache.
Elle a	mal	au dos.	Her back hurts.
		à la tête.	She's got a headache.
		aux dents.	She's got toothache.
Robert a		la grippe.	Robert has got 'flu.

This, that, these and those

Prenez	ce	sirop.	Take this medicine.	**180**
Regardez	cet	écran.	Look at this screen.	
Mettez	cette	crème.	Put this cream on.	
Prenez	ces	comprimés.	Take these tablets.	

En + the present participle

en	sortant	de l'école	coming out of school	**183**
	rentrant		on getting home	
	attendant	l'ambulance	while waiting for the ambulance	
	parlant	calmement	by speaking calmly	
	passant	un test	by taking a test	
	embrassant	une personne	by kissing someone	
	buvant	dans la même tasse	by drinking from the same cup	
	se servant	des mêmes toilettes	by using the same toilets	

Using **on** to say 'you …'

On	se sent adulte.	You feel like an adult.	**188**
	se dispute avec ses parents.	You argue with your parents.	
	est traité comme des enfants.	You are treated like children.	
	apprend à devenir plus indépendant.	You learn to become more independent.	

Negatives: **pas**, **plus**, **jamais**, **personne**, **aucun**

Je	n'	ai	pas		de religion.		I'm not religious.	**188–9**
Ce	n'	est	pas		très grave.		It's not very serious.	
Je	n'	ai	plus		de travail.		I no longer have a job.	
On	n'	est	plus		un enfant.		You're not a child any more.	
On	ne	s'ennuie	jamais				You're never bored.	
On	n'	a	rien		à craindre.		You've nothing to fear.	
Je	ne	fais	rien				I'm not doing anything.	
Je	n'	ai	personne		à part toi.		I have no-one apart from you.	
On	n'	est	ni	adulte	ni	enfant.	You're neither an adult nor a child.	
Tu	ne	fais	aucun		effort.		You make no effort.	
Ils	n'	ont	aucun		rêve à réaliser.		They have no dreams whatsoever.	

Quel malheur!

Regarde les dessins puis relie les trois parties de chaque phrase.

1

2

3

4

5

6

Je me suis fait mal	aux jambes	en faisant du parachutisme.
Je me suis fait mal	au genou	en faisant de l'athlétisme.
Je me suis fait mal	à l'œil	en jouant au foot.
Je me suis fait mal	au derrière	en jouant au tennis.
Je me suis fait mal	à la tête	en jouant au billard.
Je me suis fait mal	au dos	en faisant du ski.

Cherche l'intrus

Exemple
1C

	A		B		C		D	
1	A	la pollution	B	la guerre	C	le progrès	D	la pauvreté
2	A	la cheville	B	le menton	C	le coude	D	le placard
3	A	le bahut	B	le professeur	C	un mec	D	la bagnole
4	A	l'équitation	B	le rugby	C	le foot	D	le hockey
5	A	les hors d'œuvres	B	le plat principal	C	l'entrée	D	le menu
6	A	les pastilles	B	le sirop	C	la cuillère	D	les sachets

Désolé

Ton copain t'a invité(e) au parc d'attractions, mais tu es malade.
Ecris un message pour dire que tu ne peux pas y aller.
Dis aussi ce qui ne va pas.

Cher Sébastien,
merci pour l'invitation
au

A la pharmacie

Ecris le dialogue dans le bon ordre.

Commence comme ça:
— Bonjour, madame. Je ne me sens pas bien.
— Bonjour, madame. Vous avez mal à la tête?

— Oui, un peu plus de 38°.

– Vous avez aussi de la fièvre?

— Bonjour, madame. Je ne me sens pas bien.

– Vingt-cinq francs cinquante.

– Pendant trois jours. Et puis, si ça continue, il faut voir le médecin.

– Bonjour, madame. Vous avez mal à la tête?

– Oui, prenez ces comprimés, quatre fois par jour.

– Oui, et j'ai aussi très mal à la gorge.

– Je crois que vous avez la grippe.

– Merci. Combien je vous dois?

– Pendant combien de jours?

– Est-ce que vous pouvez me donner quelque chose?

Sondage

Lis les résultats d'un sondage et réponds aux questions.

1 Qui ne croit pas en Dieu, ne s'intéresse pas à la politique et fait du sport?
2 Qui fume, s'intéresse à la mode mais ne s'intéresse pas à l'environnement?
3 Qui n'a jamais essayé les drogues, ne fume pas et ne s'intéresse pas à la mode?
4 Qui croit en Dieu, ne fume pas et ne s'intéresse pas à l'environnement?
5 Qui ne croit pas en Dieu, ne s'intéresse pas à la mode et ne fait pas de sport?
6 Qui a essayé des drogues, s'intéresse à la politique et à la musique pop?

Questions

	Réponses					
	Alain	Sam	Séverine	Ali	Claire	Sophie
Tu crois en Dieu?	Non	Oui	Non	Oui	Oui	Non
Tu fumes?	Non	Non	Non	Non	Oui	Oui
Tu as essayé des drogues?	Oui	Non	Non	Non	Non	Non
Tu t'intéresses à la mode?	Oui	Oui	Oui	Non	Oui	Non
Tu t'intéresses à l'environnement?	Oui	Non	Oui	Oui	Non	Oui
Tu t'intéresses à la musique pop?	Oui	Oui	Non	Non	Oui	Oui
Tu fais du sport?	Non	Oui	Oui	Oui	Non	Non
Tu t'intéresses à la politique?	Oui	Non	Non	Oui	Non	Non

C'est logique?

Relie les phrases justes.

Exemple
1D

1 Mon meilleur copain se drogue.

2 On se dispute toujours à la maison.

3 Ma mère est très religieuse.

4 J'ai une copine d'une religion différente.

5 Je suis très intéressé par la politique.

6 Je suis fana des feuilletons.

A Elle me force à aller à l'église.

B J'écoute les actualités tous les jours à la radio.

C Je ne manque jamais un seul épisode.

D Je ne sais pas comment je peux l'aider.

E On s'entend vraiment très mal.

F On en discute souvent pour comparer les différences.

Deux religions différentes

Maurie-Laure

Tous les ans, je vais en vacances en Espagne. Là-bas, j'ai rencontré deux super filles. Elena, la première, est de religion juive. Fatima, la seconde, est de religion musulmane. Moi, je suis chrétienne. Au début, entre Elena et Fatima, ça a été plutôt difficile, car les musulmans et les juifs ne s'aiment pas. Alors, nous avons discuté de nos religions, des fêtes religieuses, etc. Finalement, elles sont devenues bien amies.

Virginie

Depuis l'école maternelle, j'avais un très bon ami qui était musulman. Mais, un jour, sa religion et la mienne (je suis chrétienne) nous ont posé un grave problème. On se disputait toujours. Nous avons fini par nous séparer, mais aujourd'hui nous revenons ensemble. Quand on parle des religions, on se dit: 'Chacun pense ce qu'il veut!'

Qui a dit ça?

A Je ne crois pas en Dieu.

B Quand on est petit, la religion ne joue pas un rôle important entre amis.

Nicole

Ma copine, Emilie, est juive. Les parents d'Emilie n'aimaient pas que leur fille me voie, parce que je suis athée. La religion peut être une chose importante, mais elle ne doit pas empêcher une amitié.

C Tu ne sors pas avec quelqu'un qui ne croit pas en Dieu.

D Je connais deux filles de religions différentes qui s'aiment bien.

Cher éditeur

Imagine que tu es Fabienne dans le roman photo. Ecris une lettre à l'éditeur pour expliquer ton problème.

Roman photo

Quelle est la plus grande menace pour la Terre?

Voici les résultats d'un sondage parmi cent jeunes de seize ans.

15% la destruction des forêts	30% la pollution	13% la surpopulation de la Terre	7% l'extinction des espèces rares	20% le nucléaire	14% le SIDA	6% autre

A

Complète ce résumé des résultats.

*Ce qui nous inquiète le plus, c'est ...
En deuxième place, c'est ...*

B

Et ta classe?
Fais un sondage comme ça en posant la question à tes camarades de classe: 'Quelle est la plus grande menace pour la Terre?'.

La Terre est-elle en danger?

 Ecoute la cassette et suis les textes.
Quels sont les dangers?

Wafa

Oui, et ce qui m'inquiète le plus c'est la pollution, qui menace l'environnement.

Non, je ne crois pas que la Terre soit vraiment en danger ... l'effet de serre et le réchauffement de la Terre – ce sont des problèmes qu'on pourra régler.

Myriam

AVENIR
Campagne réalisée par Avenir-Dauphin-Giraudy
Avec le concours de France Rail.

Tout ce qui vit peut disparaître.

L'eau aussi est en danger.

Je suis sûr que la Terre est en danger très grave avec tout ce qui se passe comme le déversement des déchets nucléaires, les marées noires et la pluie acide.

Thibault

Oui, c'est sûr, avec la forêt tropicale qu'on a commencé à détruire.

Sara

Oui, à cause de l'homme-chasseur, qui tue toutes les espèces rares. C'est affreux ce qu'on fait aux animaux.

Sébastien

☆ A toi maintenant

La Terre est-elle en danger? Qu'en penses-tu? Qu'est-ce qui t'inquiète le plus? Ecris quelques lignes sur ce sujet.

Rappel

Qu'est-ce qui menace la Terre?		
L'homme,	qui	tue les animaux.
La pollution,		menace l'environnement.
Les espèces rares	que	l'homme tue.
La forêt tropicale	qu'	on détruit.

Qu'est-ce qui t'inquiète le plus?	
Ce qui m'inquiète, c'est	la destruction des forêts. l'extinction des espèces rares.
Ce qu'on fait aux animaux, c'est affreux.	

Ils risquent de disparaître

Parmi les 30 000 espèces d'animaux menacées, en voici six. Lis les informations sur le tigre d'Asie. Puis recopie et essaie de compléter les informations sur les autres espèces, en choisissant les informations correctes dans la liste ci-dessous.

Tigre d'Asie *proche de l'extinction*

habitat: Chine, Corée, Indonésie, Inde, Népal

nombre: 5 000

menaces: tué pour sa peau et ses os, capturé pour les zoos

Panda géant *proche de l'extinction*

habitat: ....

nombre: moins de 1 000

menaces: ....

Crocodile ....

habitat: Afrique, Amérique, Australie

nombre: inconnu

menaces: ....

Ara bleu ....

habitat: ....

nombre: inconnu

menaces: oiseau dangereux/nuisible aux cultures (champs), capturé par les collectionneurs, destruction des forêts

Rhinocéros ....

habitat: ....

nombre: quelques milliers (un disparaît par jour)

menaces: ....

Aigle royal *très menacé*

habitat: Europe, Asie, Afrique, Amérique

nombre: ....

menaces: chasse, oiseau dangereux

- menacé
- très menacé
- ▶ proche de l'extinction
- Amérique du Sud
- Afrique, Asie
- Chine
- chassé pour sa corne
- peau (sacs à main, chaussures), pollution des rivières
- fourrure, destruction des forêts
- 200 couples en France

Espèces en détresse

Par pitié et par intelligence, NE NOUS TUEZ PAS!

Fais un poster comme ça contre l'extinction des espèces rares!

La corrida: spectacle grandiose ou jeu cruel?

Il y a des courses de taureaux en Espagne, en France, en Amérique du Sud et au Portugal. En Espagne et en France on tue toujours le taureau, mais dans les autres pays, la corrida se pratique sans mise à mort.

En général, la corrida commence à cinq heures de l'après-midi. Après être entré dans l'arène, le taureau regarde autour de lui. Dans l'arène, il y a un aide du matador qui reçoit le taureau avec une cape rose et jaune. Puis deux cavaliers casqués entrent. Leur cheval est bien protégé. Ils tiennent une pique qui doit pénétrer dans le taureau, ce qui oblige l'animal à baisser la tête. Puis un autre aide

plante quatre bâtonnets avec des rubans sur le dos de l'animal. Finalement, le matador entre et reste seul face au taureau. Il l'appelle avec un drap rouge et une sorte de ballet commence.

Tous les mouvements du taureau et du matador sont accompagnés de musique. Et soudain, c'est le silence. Le matador tient sa cape dans sa main gauche et dans sa main droite l'épée. L'épée pénètre dans le taureau. L'animal vacille et tombe. La foule est debout. Elle agite ses mouchoirs blancs et demande une récompense pour le matador … normalement un tour d'honneur.

A

Vrai ou faux?
1 On tue le taureau au Portugal.
2 La corrida se passe toujours en fin de journée.
3 Trois ou quatre personnes préparent le taureau pour le matador.
4 La musique s'arrête au moment où le matador va tuer le taureau.
5 Si les gens pensent que le matador a bien joué, ils se lèvent et montrent leurs mouchoirs.

B

Lis ces opinions. Qui est pour et qui est contre la corrida?

C

 Maintenant écoute la cassette en regardant les textes. Qui parle à chaque fois?

☆ A toi maintenant
As-tu déjà vu une corrida, même à la télévision? Qu'en penses-tu? Ecris une lettre à ton/ta correspondant(e) là-dessus.

Commence: 'Tu m'as demandé ce que je pense des corridas.'

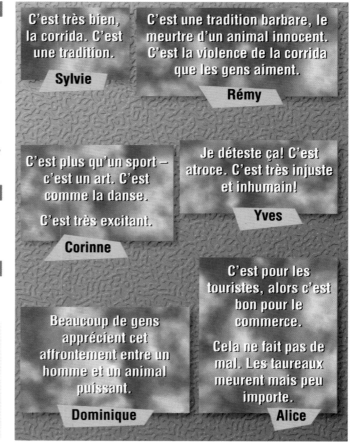

C'est très bien, la corrida. C'est une tradition.
Sylvie

C'est une tradition barbare, le meurtre d'un animal innocent. C'est la violence de la corrida que les gens aiment.
Rémy

C'est plus qu'un sport – c'est un art. C'est comme la danse. C'est très excitant.
Corinne

Je déteste ça! C'est atroce. C'est très injuste et inhumain!
Yves

Beaucoup de gens apprécient cet affrontement entre un homme et un animal puissant.
Dominique

C'est pour les touristes, alors c'est bon pour le commerce. Cela ne fait pas de mal. Les taureaux meurent mais peu importe.
Alice

Ecodésastre

Crée ton propre poème en sélectionnant les mots de gauche et de droite qui riment. Choisis toi-même l'ordre des lignes.

le soleil	se multiplient
les étoiles	gèle
le ciel	ont froid
les fleurs	finit
les bois	a sommeil
les espèces	s'arrête
les cris	disparaissent
la planète	se voilent
la vie	meurent

APHONSE! J'AI UNE LETTRE DU COLLÈGE. ELLE DIT QUE TU AS UNE RETENUE! POURQUOI?

EH BEN, C'ÉTAIT MON DERNIER DEVOIR DE SCIENCES NAT.

QUOI? CE QUE TU AS FAIT SUR LE RECYCLAGE? MAIS C'ÉTAIT BIEN!

EN FAIT, ÇA M'A PRESQUE PERSUADÉ DE RECYCLER LES BOUTEILLES MOI-MÊME. ET LE PROF NE L'A PAS APPRÉCIÉ?

C'EST CURIEUX.

OUI MAIS, CE QU'IL N'A PAS MENTIONNÉ, C'EST QUE LES DEVOIRS AUSSI ÉTAIENT RECYCLÉS.

IL LES A RECOPIÉS SUR BENOÎT!

Villes

Lis ce texte puis recopie et complète les phrases.

En 1900, neuf personnes sur dix, c'est-à dire 90% de la population, vivaient à la campagne. Actuellement, 40% de la population mondiale vit en ville et ce chiffre grimpera à 50% en l'an 2000 et à 61% en l'an 2025. La majorité se concentrera dans les villes de plus de 10 millions d'habitants qu'on appelle les mégapoles.

Surtout les villes du tiers-monde ont grandi rapidement. La ville d'Abidjan en Côte d'Ivoire, par exemple, a vu sa population multipliée par 35 depuis 1950! En l'an 2000, 20 des 25 plus grandes agglomérations du monde seront situées au sud de la planète, en Amérique latine, en Asie et en Afrique.

1 Au début du siècle, neuf personnes sur dix vivaient ....
2 En l'an 2025, 61% de la population mondiale habitera ....
3 Les villes qui ont grandi le plus sont dans le ....
4 Une mégapole, c'est une ville de plus de ....
5 En l'an 2000, l'hémisphère sud aura 20 des 25 ....

Fais correspondre les textes et les photos. Ecris les numéros et les lettres qui vont ensemble.

A La plupart des habitants les plus pauvres d'Amérique latine vivent dans des cités géantes comme Sao Paulo, la plus grande ville du Brésil.

B Dans les mégapoles du tiers-monde, il y a un grand contraste entre les quartiers où habitent les plus pauvres et les quartiers résidentiels.

C A Tokyo, les piscines sont si pleines qu'on oblige tout le monde à sortir à intervalles réguliers pour vérifier qu'il n'y a pas de noyés.

D Los Angeles, en Californie a des problèmes graves avec ses embouteillages et sa pollution.

E Les trois villes de New York, Boston et Philadelphie forment une agglomération gigantesque.

Les villes nouvelles

On a construit des villes nouvelles autour de Paris pour éviter la surpopulation de la capitale. On a créé à partir de 1968, cinq villes nouvelles situées à une trentaine de kilomètres de la capitale. La plupart des gens habitent dans des grands immeubles, mais il y a aussi des maisons individuelles.

Beaucoup de gens travaillent dans les villes nouvelles mais beaucoup doivent quand même travailler à Paris parce qu'il n'y a pas assez de travail sur place. Le transport dans la région est excellent: trains, bus et RER (Réseau Express Régional).

L'architecture résidentielle à Cergy-Pontoise

C'est pratique

Voici quelques jeunes qui disent ce qu'ils pensent de la vie dans les villes nouvelles.

«Ce que je n'aime pas dans les villes nouvelles, c'est que tout est pareil et qu'il n'y a aucune individualité. Et en plus, c'est moche! Je préférerais habiter une ville plus pittoresque.»

Benjamin

«Les immeubles ne sont pas très beaux mais moi, j'aime bien habiter ici. J'ai mes amis. Je suis habituée. C'est bien.»

Marielle

«J'aime bien l'architecture moderne. C'est amusant. C'est excitant d'être dans une ville nouvelle.»

Guillaume

«Je déteste les immeubles qui sont des blocs de béton. C'est affreux comme architecture, mais ce qui est bien, c'est qu'il y a beaucoup de choses à faire pour les jeunes.»

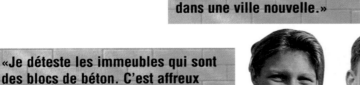

Clara   **Pierre-Paul**

«Moi, j'aime bien habiter cette ville nouvelle. Les transports sont bien organisés. Il y a des magasins tout près. Il y a des équipements. C'est bien.»

1 Qui trouve que les villes nouvelles sont pratiques?
2 Qui trouve que c'est très laid? (deux personnes)
3 Qui admet que ce n'est pas joli mais est content d'y habiter quand même? (deux personnes)
4 Qui aime tout ce qui concerne les villes nouvelles?

Rappel

Je déteste	les villes nouvelles.	
J'aime bien	l'architecture moderne.	
C'est	beau amusant affreux	comme architecture.
Ce qui est bien, c'est qu'il y a		des magasins. des équipements. beaucoup à faire pour les jeunes.
Ce que je n'aime pas, c'est		qu'il n'y a aucune individualité. que tout est pareil.

Amis de la Terre

A Tu recycles les déchets chez toi?

B Oui:
  j'essaie toujours de recycler
  très souvent
  assez souvent
  de temps en temps

B Non:
  rarement
  jamais

A Pourquoi pas?

A Qu'est-ce que tu recycles?

B Ma mère/Mon père s'occupe
    du recyclage
  J'oublie toujours
  Je n'ai pas le temps
  On n'a pas de voiture
  Il n'y a pas de conteneurs
    spéciaux près de chez moi
  Ça demande trop d'effort
  Ça m'énerve!

B le verre   les journaux
  le plastique   les cannettes
  le papier   les boîtes
  le carton   les piles

A Tu trouves que c'est important
de recycler les déchets?

B Non:
    pas vraiment
    ça ne sert pas à grand-chose
    ce n'est pas très pratique

B Oui:
    il faut absolument recycler
    c'est très important

A Il y a un centre avec des
conteneurs spéciaux pour le
recyclage près de chez toi?

B Non:
    il n'y en a pas
    c'est très loin

B Oui:
    tout près
    assez près
    à quelques kilomètres

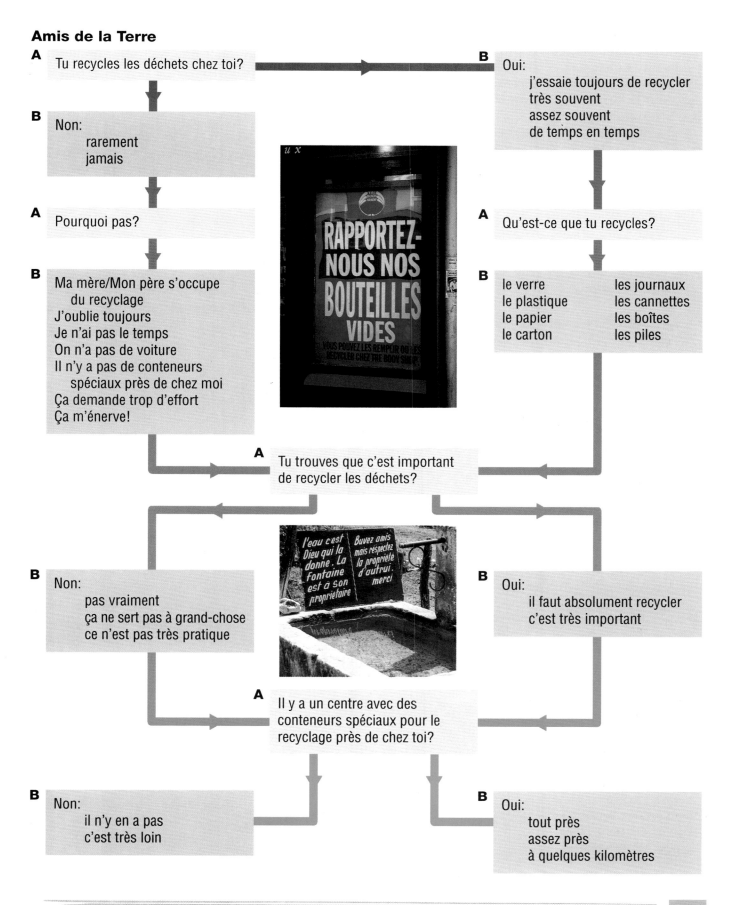

Ce n'est pas trop tard!

Voici des extraits de lettres à un magazine pour jeunes en France.

On leur a posé la question: 'Est-ce que c'est trop tard pour la Terre?'

Ils ont répondu que non!

> J'en ai marre de tous ces gens qui disent que tout est fini, que c'est trop tard. Certes, on a de gros problèmes écologiques. Mais, n'oublions pas ce qu'on fait pour protéger les espèces rares. Là où j'habite, je sais qu'on fait d'extraordinaires recherches au Zoo de Vincennes. Ne critiquons pas ceux qui s'occupent de nos animaux! *Julie, Paris*

> Je sais qu'on a peur du nucléaire mais il ne faut pas oublier qu'en utilisant l'énergie nucléaire on économise le charbon, le gaz et le pétrole. Et les mesures de sécurité dans les centrales nucléaires sont très strictes. C'est peut-être dangereux, le nucléaire, mais c'est propre et ça c'est bien pour l'environnement.
>
> Maryvonne, Cherbourg

Lis les textes puis lis les autres commentaires ci-dessous. Quelle bulle correspond à quel texte?

Exemple
Julie – **A**

> Ce que je déteste, moi, c'est qu'on n'apprécie jamais les efforts des mouvements écologiques. Les Amis de la Terre, le World Wide Fund For Nature (WWF) et la Société Nationale de la Protection de la Nature, par exemple, surveillent la Terre et ses créatures. Grâce à eux, on est au courant des problèmes et on voit bien qui est responsable de nos problèmes écologiques. *Nathalie, Bruxelles*

> Tous les gouvernements sont de plus en plus conscients des problèmes écologiques, ce qui les oblige à prendre des mesures très strictes contre les entreprises qui polluent l'environnement.
>
> Thibault, Nîmes

> Si j'ai bien compris, on fait des progrès, en ce qui concerne l'effet de serre et la pluie acide. On réduit les émissions de gaz carbonique et les gaz CFC. Et la publicité contre la destruction de la forêt tropicale commence à avoir de l'effet. Ce n'est pas trop tard du tout. On peut changer d'idée et sauvegarder la Terre! *Enora, Chalon-sur-Saône*

⌂ A faire chez toi

Prépare une réponse à ces questions, par oral ou par écrit.

> L'autre jour, on est allé visiter une ville nouvelle. C'est super! Ça existe chez vous? Qu'est-ce que tu en penses? Je voulais te demander aussi: qu'est-ce que tu fais, toi, comme gestes pour protéger l'environnement? Quels sont les plus grands dangers pour la Terre à ton avis?

A Ce qui est bien, c'est qu'on fait des progrès pour protéger les espèces menacées ... et non seulement pour le plaisir des gens qui vont dans les parcs animaliers.

B S'il y a un désastre écologique, ce sont les pollueurs qui paient maintenant, ce qu'ils n'aiment pas du tout. Ça me fait plaisir parce qu'ils vont réfléchir avant de recommencer à polluer l'environnement.

C On connaît bien les problèmes et on s'en occupe, ce qui veut dire qu'on va enfin protéger la Terre. Mieux vaut tard que jamais!

D Ce qui est sûr, c'est qu'on ne peut pas continuer à épuiser les ressources naturelles de la Terre.

E Il y a beaucoup d'organismes pour protéger la nature, ce qui est très positif, à mon avis.

Pas vrai!

L'eau

En moyenne, un Français utilise 150 litres d'eau par jour. Dans les pays pauvres, un habitant n'en consomme que 20 litres, cuisine et toilette comprises!

L'agriculture et l'industrie utilisent de grandes quantités d'eau:

Pour produire

1 kilo de …		il faut …	
Ciment		35 litres d'eau	
Maïs		330 litres	
Papier		300 à 500 litres	
Aluminium		1 000 litres	
Riz		4 500 litres	

Qui va le plus vite sur une courte distance?

Relie les vitesses à chacun.

un guépard   une chauve-souris   un faucon

une balle de golf   un homme

350km/h   275km/h   100km/h
36km/h   20km/h

(Solution à la page 193)

Savais-tu que …?

■ Certaines espèces d'animaux ne sont pas menacées du tout par les hommes, bien au contraire: les rats, les mouettes, les pies, qui se nourrissent de tous nos déchets, sont de plus en plus nombreux dans le monde.

■ La moitié, au moins, de toutes les espèces d'animaux et de végétaux vivent dans les forêts tropicales, qui n'occupent que 14% de la surface de la Terre.

Écologie

Combien reste-t-il de rhinocéros?

Il y avait 160 000 rhinocéros dans le monde, il y a 20 ans. Il n'en reste plus que 10 000 aujourd'hui. Le rhinocéros, apparu sur Terre voici 40 millions d'années, a été victime de la destruction de son environnement. Depuis les années 1970, il est surtout tué pour sa corne. Au Yémen, elle sert à faire des manches de poignard. Et en Chine, à Taiwan, en Thaïlande et en Corée, elle sert à fabriquer une poudre qui donnerait de la force à celui qui en absorbe.

Depuis 1976, le commerce de la corne est interdit. Mais le braconnage continue. Aujourd'hui, une corne se vend 50 000 dollars (300 000 francs) sur le marché asiatique!

Blague

– Que mettez-vous sur vos fraises? demande un Parisien à un fermier.
– Ben, du fumier.
– Non, c'est vrai? Parce que nous, on met du sucre!

Station service

Asking questions

Qu'est-ce	qui	menace la Terre?	What threatens the Earth?
		t'inquiète le plus?	What worries you most?
	que	tu recycles?	What do you recycle?
		tu en penses?	What do you think about it?

Relative pronouns
Qui = who, which, that

C'est	l'homme	qui	tue les animaux.	It's man who kills animals.	**179**
	la pollution		menace l'environnement.	It's pollution which threatens the environment.
	la corrida		attire les touristes.	It's bullfighting that attracts the tourists.

Que = whom, which, that

Ce sont	les espèces rares	que	l'homme tue.	It's the rare species that man kills.
C'est	la violence de la corrida		les gens aiment.	It's the violence of the bullfight that people like.
C'est	la forêt tropicale	qu'	on détruit.	It's the rainforest which we are destroying.

Ce qui = what (in the sense of 'the thing that')

| Ce qui | m'inquiète, | c'est | la pollution. | What worries me is pollution. | **179** |
| | est bien, | | qu'il y a beaucoup à faire. | What's good is that there is a lot to do. |

Ce que/qu' = what (in the sense of 'the thing that')

| C'est affreux, | ce qu' | on fait aux animaux. | It's terrible, what they do to animals. |
| Ce que | je n'aime pas, | c'est que | tout est pareil. | What I don't like is that everything is the same. |

Other uses of ce qui and ce que

Il y a beaucoup d'organismes,	ce qui	est très positif.	There are lots of organisations, which is very positive.
On connaît les problèmes,		est un début.	We know the problems, which is a start.
La Terre est en danger avec	tout ce qui	se passe.	The Earth is in danger with everything that is going on.

Ne … que = only

| On | n' | a | qu' | une vie. | You only have one life. | **189** |
| Il | ne | reste | que | 5 000 tigres au monde. | There are only 5,000 tigers left in the world. |

Ville nouvelle ou village?

Lis les textes. Où habite chaque personne?
Une ville nouvelle ou un village?

J'habite un immeuble.

Géraldine

Il y a un grand centre commercial.

Mona

Il y a une épicerie dans la rue principale.

Il y a quelques magasins autour de l'église.

Delphine

Il n'y a pas de lycée. Un bus passe trois fois par semaine.

Il y a un parking souterrain pour 500 voitures.

Christophe

Le boulanger passe tous les jours.

Marc

Adrien

Nadia

Au contraire

Voici deux listes d'adjectifs.
Recopie-les en reliant les
paires opposées.

Exemple
géant – minuscule

géant	pauvre
propre	minuscule
riche	pollué
jeter	gaspiller
économiser	la vie
inquiétant	laid
la mort	recycler
beau	rassurant

Protégeons la nature

Regarde ces panneaux. Quelles sont les deux
choses interdites dans tous les deux endroits?
Choisis entre:

les chiens   les feux   la planche à voile
les bateaux à moteur
la chasse   le camping   la baignade
les ordures   la pêche

H. B. C. M.   Houillères d'Aquitaine
BARRAGE de la ROUCARIE
Réserve d'eau potable
IL EST FORMELLEMENT INTERDIT:
.de se baigner
.de pêcher à l'asticot au sac à la viande aux moelles
.de faire boire les animaux
.d'utiliser des bateaux à moteur
.de déposer des ordures le long des berges

CHASSE INTERDITE
SUR LE PLAN D'EAU
ET SUR LES CHEMINS DE RONDE

PLANCHE À VOILE INTERDITE
SAUF DANS LES EMPRISES
DES CLUBS NAUTIQUES

parc national des pyrénées

chiens tolérés en laisse
jusqu'à l'hôtel du cirque

Les écolos

Regarde ce que chaque personne recycle et réponds aux questions ci-dessous.

Patrick	✔	✔	✔			
Hélène		✔			✔	✔
Marie		✔		✔		
Thomas	✔				✔	✔
Yannick			✔	✔	✔	
Amina	✔	✔		✔		✔

1 Qui recycle les journaux et les bouteilles mais pas les piles?

2 Qui recycle les journaux et le carton mais pas le plastique?

3 Qui ne recycle que les bouteilles et le plastique?

4 Qui ne recycle ni le plastique ni les journaux?

5 Qui recycle les cannettes et le carton mais pas les journaux?

6 Qui recycle tout sauf les cannettes et le carton?

Et toi? Qu'est-ce que tu recycles?

Exemple

Je recycle les bouteilles et les piles.

Une question de logique

Choisis l'intrus à chaque fois puis trouve l'explication qui convient dans la liste ci-dessous.

1 le charbon
le bois
le papier
le pétrole

2 la pluie acide
les déchets nucléaires
les matières premières
la marée noire

3 la terre
la nature
le monde
la planète

4 la paix
le danger
la destruction
les déchets

5 préserver
sauver
détruire
économiser

Explications

Tous les autres termes sont les conséquences négatives des actes de l'homme.

C'est un produit fabriqué à partir d'autres matières. Tous les autres sont à trouver dans la nature et sont des matières premières.

C'est la seule idée positive sur la liste.

C'est le seul terme négatif sur la liste.

C'est la seule idée abstraite sur la liste – les autres sont des termes concrets pour décrire notre environnement.

A mon avis

Complète ces phrases en exprimant ton avis personnel.

Ce que les gens ne comprennent pas, c'est que ....

Ce qui provoquent les disputes chez nous, c'est ....

Ce que j'adore pendant les vacances, c'est ....

Ce qui m'énerve au vingtième siècle, c'est ....

Ce que je n'aime pas à l'adolescence, c'est ....

Comme ça!

Complète chaque phrase avec l'animal qui convient. Sers-toi du dictionnaire!

1 Têtu comme un _____.
2 Rusé comme un _____.
3 Doux comme un _____.
4 Noir comme un _____.

5 Léger comme un _____.
6 Fort comme un _____.
7 Frisé comme un _____.

Trouve d'autres termes animaliers comme ça.

Ils n'avaient pas d'adolescence

Comment vivait un garçon ou une fille de 13 ans dans les années 1900? Bien différemment d'aujourd'hui! Dès leur plus jeune âge, les jeunes se préparaient à mener la même vie que celle de leurs parents, dans la même ville, le même village, et quelquefois, la même maison. Les fils apprenaient le métier de leurs pères. Quant aux filles, elles n'allaient pas à l'école, et dès qu'elles étaient en âge de se marier, elles «attendaient un mari». Dans l'ensemble, les jeunes passaient beaucoup plus vite de l'enfance à l'âge adulte. Certains historiens disent même qu'il n'y avait pratiquement pas d'adolescence!

Et avant 1900? Voici un exemple. En 1860 à l'âge de 8 ans, Hippolyte a commencé à travailler dans l'usine de textiles où travaillaient ses parents. En 1882 les lois de Jules Ferry ont rendu l'école obligatoire de 6 à 13 ans. Trop tard pour

Hippolyte! Mais à partir de 1841, les enfants de 8 à 12 ans n'avaient plus le droit de travailler plus de 8 heures. A 13 ans, par contre, Hippolyte a commencé à travailler 12 heures par jour!

1 Complète ces phrases.

● En 1900 l'école était surtout pour ....
● D'habitude ils faisaient le même travail que ....
● En 1850, un enfant de 10 ans pouvait travailler jusqu'à ....
● Après 1882 les enfants devaient ....

2 Ecris quelques lignes pour expliquer ce qui a changé pour les jeunes.

'Avant, ...
tandis que maintenant ....'

Roman photo

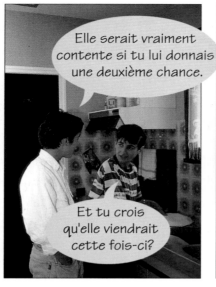

Elle serait vraiment contente si tu lui donnais une deuxième chance.

Et tu crois qu'elle viendrait cette fois-ci?

J'en suis sûr.

D'accord. Dis-lui de passer à la clinique.

C'est combien, la ceinture?

Laquelle? Celle-là? Vingt-cinq francs.

Au marché.

Ça te va bien.

Elle est trop grande.

Salut, toi. Ça va?

Ça va. Au fait, je vais faire mon stage chez un vétérinaire.

Le travail à la cafétéria n'était pas assez bien pour toi?

Je voudrais être infirmière. Chez un vétérinaire je pourrai apprendre quelque chose d'utile.

Ne te fais pas d'illusions. Tu rateras tes études et tu finiras au chômage. Et à ce moment-là, ne me demande pas de venir à ton aide!

On fait les courses

A

Regarde les prix des fruits et des légumes. Puis lis la liste des courses. Ça coûte combien?

1 kg d'oranges
3 kg de pommes de terre
1 kg de prunes
1 kg de haricots verts
2 laitues
1 kg de pêches blanches
2 kg de bananes

B

Jeu de mémoire
Ton/ta partenaire a 30 secondes pour étudier les photos. Ensuite pose-lui des questions là-dessus.

Exemple
A – C'est douze francs le kilo. Qu'est-ce que c'est?
B – Les carottes.
A – Ça vient de la Martinique. Qu'est-ce que c'est?

C

Vous désirez?

Ecoute la cassette. Qu'est-ce qu'on achète? Des pêches? Lesquelles? Ça coûte combien?

D

Vrai ou faux?
1 Les pommes de terre sont plus chères que les oranges.
2 Les fruits les plus chers sont les bananes.
3 Les fruits les moins chers sont les cerises.
4 Les oranges viennent d'Afrique du nord.
5 Les bananes sont moins chères que les pêches jaunes.
6 Les légumes les plus chers sont les carottes.

Rappel

un kilo une livre cinq cents grammes	de	carottes cerises pêches
Ça sera tout? Et avec ceci?		

Les pêches Les carottes	sont	plus moins	chères	que les oranges. que les haricots.

Au grand magasin

Travaille avec ton/ta partenaire et fais des dialogues.

Exemple

C'est où le rayon *chaussures*, s'il vous plaît?

Le rayon *chaussures*? C'est au deuxième étage, près du rayon *musique*.

Je cherche un *jogging*.

Un *jogging*? Rayon sport au quatrième étage entre le rayon jouets et le rayon livres.

des chaussures   du fromage   un CD   un train en bois   une étagère   une veste
une jupe   une revue   du papier à lettres   une raquette de tennis   un lit   une BD

Je peux vous aider?

 Ecoute les dialogues et fais un panneau pour indiquer les rayons à chaque étage.

C'est quel rayon?

Voici des extraits de dialogues dans les rayons d'un grand magasin. Lis les phrases et trouve les bonnes paires.

 Ecoute la cassette pour vérifier ta réponse.

Exemple
1C

1 Je voudrais des chaussures, pointure 40 ou 41.
2 Je cherche un jeu de boules.
3 Avez-vous le dernier CD des Fanas?
4 Je cherche des jeux vidéo.
5 Je voudrais des baskets.
6 Je peux essayer ce jean?
7 Il est à combien ce stylo?

A En métal ou en plastique?
B Des jeux de sport, par exemple, ou des jeux d'aventure?
C Pointure quarante ou quarante et un? Celles-ci en marron, peut-être?
D Quelle marque préférez-vous – Nike?
E Celui-ci? Oui bien sûr. La cabine d'essayage est en face.
F Celui-là est à 100 francs, Madame.
G Oui, là-bas, vous voyez le panneau marqué 'Groupes: F'?

C'est trop cher

– Je voudrais essayer ce pantalon, s'il vous plaît.
– Celui-ci?
– Non, celui-là en bleu.
– Votre taille?
– Je fais du seize ans.
– D'accord. Voilà la cabine d'essayage là-bas… Ça vous plaît?
– Oui, je le prends. Cette jupe aussi est jolie.
– Laquelle? La noire?
– Non, celle-là, la rouge. Elle est vraiment bien. Elle est à combien?
– 350 francs.
– Oh là! C'est trop cher.
– Dommage. Vous voulez essayer autre chose?
– Non, c'est tout. Combien je vous dois?
– 150 francs.

A toi
Fais des dialogues avec un(e) partenaire. Sers-toi de ce dialogue et des expressions suivantes:

▶ Ça ne me va pas.
▶ Ça vous plaît?
▶ Ça vous va bien.
▶ C'est chic, ça.

Rappel

Je voudrais essayer	ce jean.	Lequel? Celui-ci?	Non,	celui-là.
	cette jupe.	Laquelle? Celle-ci?		celle-là
C'est combien,	les gants?	Lesquels? Ceux-ci?		ceux-là.
	les chaussures?	Lesquelles? Celles-ci?		celles-là.

Oui,	ça la couleur	me va bien. me plaît.	Je	le la les	prends.

Non, c'est	un peu trop	cher. court. long. large. serré.

Pile ou face?

Joue à pile ou face à tour de rôle avec ton/ta partenaire. Tu avances d'une case à chaque fois. Qui va gagner la partie en accumulant le plus d'argent? Fais tes calculs en faisant le tour de la piste.

1 FACE Tu reçois 100 francs en récompense pour un bon bulletin scolaire. PILE Ton oncle t'a offert 50 francs.

2 FACE Tu as gagné 200 francs en lavant des voitures. PILE Tu as acheté une carte téléphonique à 40 francs.

3 FACE Tu as acheté des timbres pour 10 francs. PILE Tes parents t'ont donné 100 francs.

4 FACE Tu as gagné 500 francs à la Loterie Nationale. PILE Tu dépenses 8 francs pour une boisson.

5 FACE Tu as payé 60 francs pour un jeu vidéo d'occasion. PILE Ta tante t'a envoyé 100 francs pour ton anniversaire.

6 FACE Tu reçois 10 francs en recyclant des bouteilles. PILE Ton père t'a donné 60 francs d'argent de poche.

7 FACE Tu as perdu 20 francs à la piscine. PILE Tu as payé 80 francs de cotisation pour le club de foot.

8 FACE Tu as gagné 20 francs en faisant les courses. PILE Un copain t'as rendu 50 francs que tu lui avais prêtés.

9 FACE Tu as gagné 80 francs en faisant du baby-sitting. PILE Tu as acheté une glace à 10 francs.

10 FACE Tu as perdu tout ton argent au parc. PILE Tu as trouvé 20 francs dans la rue.

11 FACE Ta mère t'a offert 250 francs. PILE Tu as trouvé 10 francs dans le bus.

12 FACE Tu as rendu 30 francs empruntés à un copain. PILE Tu as acheté une cannette de soda à 15 francs.

13 FACE Tu as gagné 50 francs en faisant le ménage. PILE Tu as perdu 30 francs au collège.

14 FACE Tu as rangé le garage pour gagner 40 francs. PILE Tu as trouvé un billet de 50 francs dans ton tiroir.

15 FACE Tu perds 10 francs dans un distributeur automatique qui ne marche pas. PILE Tu as trouvé 10 francs dans une poche de ton vieil anorak.

16 FACE Tu as perdu ton porte-monnaie avec 60 francs dedans. PILE Tu as gagné 25 francs en tondant la pelouse.

17 FACE Tu as dépensé 120 francs pour acheter un CD. PILE Tu as lavé le vélo de ton frère pour 20 francs.

18 FACE Ta grand-mère t'a offert 100 francs. PILE Tu as vendu ton vélo pour 500 francs.

19 FACE Tu as remboursé les 50 francs que tu devais à une copine. PILE Tu as trouvé 10 francs dans le métro.

C'est quoi pour vous, l'argent?

 On a posé la question à ces jeunes.
Écoute la cassette. Qui parle?

Claire

C'est à la base de toute la corruption.

Vincent

J'ai toujours de grandes disputes avec ma mère au sujet de l'argent.

Youssef

Ça ne m'intéresse pas tellement.

Christelle

Je n'ai jamais assez d'argent.

Eric

Je ferais n'importe quoi pour avoir plus d'argent.

Didier

J'adore dépenser de l'argent et avoir de l'argent à dépenser.

Assez d'argent? C'est avoir de quoi vivre, manger, un logement et un peu plus pour pouvoir sortir.

Sara

Moi, j'ai assez d'argent pour faire ce que j'ai envie de faire.

Sabine

Sans argent on n'a aucune indépendance. On n'a aucune liberté.

Chantal

☆ A toi maintenant
C'est quoi pour toi, l'argent? Que penses-tu de l'argent? Ecris ta propre opinion là-dessus.

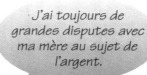

ALPHONSE et...

JE N'AI JAMAIS D'ARGENT! J'EN AI MARRE!

C'EST PARCE QUE TU N'AS PAS DE FLAIR POUR LES AFFAIRES.

N'IMPORTE QUOI! JE N'AI PAS L'ÂGE POUR TRAVAILLER... ILS ONT BÉTONNÉ LE JARDIN DONC IL N'Y A PLUS DE PELOUSE À TONDRE... PAPA AMÈNE LA VOITURE À L'AUTOLAVAGE...

ET JE NE PEUX PLUS FAIRE DE BABY-SITTING PARCE QUE TOI, TU N'ES PAS SAGE!

ATTENDS LÀ, JE VAIS T'ARRANGER QUELQUE CHOSE.

VOILÀ. C'EST RÉGLÉ. ILS VONT TE DONNER UNE DERNIÈRE CHANCE POUR LE BABY-SITTING.

DIX FRANCS DE L'HEURE. ET MOI J'EN PRENDS QUE 50% POUR ÊTRE SAGE. D'ACCORD?

ELLE A RAISON. JE N'AI PAS DE FLAIR POUR LES AFFAIRES!

Ce que j'aimerais faire

On parle du travail. Quels sont les aspects importants d'un travail? Fais des phrases.

Exemple

J'aimerais travailler en équipe, je préférerais voyager beaucoup, je n'aimerais pas travailler seul(e)…

aider/protéger les gens

voyager beaucoup

rencontrer beaucoup de gens

faire quelque chose qui touche le sport

faire une formation très longue/courte

faire un travail varié/monotone

faire un travail technique

faire un travail dangereux

j'aimerais
je préférerais
je ne voudrais pas
je n'aimerais pas
je voudrais

travailler en équipe/seul(e)

travailler dans une grande enterprise

travailler avec les enfants

travailler dehors/dans un bureau

travailler dans une usine

travailler avec les jeunes

travailler avec les animaux

De préférence

Qu'est-ce que ces jeunes cherchent dans un travail, à ton avis? Complète les phrases à chaque fois. Puis compare tes réponses avec celles sur la cassette.

Sophie
J'espère devenir institutrice.
J'aimerais …

Dimitri
Je veux être vendeur.
Je voudrais …
Je n'aimerais pas …

Agnès
Je veux devenir vétérinaire.
Je préférerais …
Je n'aimerais pas …

Sylvain
J'espère être chauffeur de poids lourd. J'aimerais …
Je ne voudrais pas …

Exemple

A mon avis, Sophie aimerait faire un travail varié, travailler avec les enfants et rencontrer beaucoup de gens.

Mon métier préféré

Lis ce que disent les six jeunes et complète les phrases avec le travail qui convient à chacun.

Exemple

Lise: J'espère devenir coiffeuse.

Féthi «J'aimerais travailler dehors, en plein air. J'aimerais commencer et finir assez tôt. Ça m'est égal si je ne rencontre pas souvent les gens. Je voudrais être …»

Nathalie «Je voudrais faire un travail varié, intéressant. Je n'aime pas trop la routine. J'aimerais aider les gens, les protéger. Je n'aimerais pas être tout le temps dans un bureau. Cela m'intéresserait d'être …»

Vanessa «J'aimerais faire un travail technique, faire des réparations, peut-être, et j'aimerais travailler dans une grande entreprise. Je ne sais pas, peut-être …»

Jean-Claude «Avant de commencer à gagner ma vie, je voudrais faire une formation longue. Je n'aimerais pas voyager beaucoup. Je préférerais travailler avec les jeunes, les aider à apprendre. J'espère …»

Lise «Je voudrais rencontrer beaucoup de gens et rendre les gens heureux, les rendre beaux. Je n'aimerais pas travailler dehors. J'espère devenir …»

Cédric «J'aimerais travailler dans un bureau, avoir un contact permanent avec les gens, au téléphone et dans le bureau. J'aimerais travailler en équipe, dans une grande entreprise. J'aimerais être …»

☆ A toi maintenant

Imagine que tu écris une lettre à ton/ta correspondant(e). Dis-lui ce que tu voudrais faire comme métier et explique pourquoi. Sers-toi des opinions exprimées ici (voir aussi 'Ce qui est bien' en face).

Rappel

J'aimerais Je n'aimerais pas	devenir être	instituteur/institutrice. coiffeur/coiffeuse. médecin.

Ce qui est bien

Travaille avec ton/ta partenaire. Lis les constatations sur les métiers puis fais des phrases. Partenaire A commence et partenaire B termine la phrase.

Exemple

A Ce qui est bien comme coiffeur …

B … c'est que ce n'est pas trop stressant.

Ce qui est bien comme

Ce qui me plaît dans le métier de/d'

Ce que je n'apprécie pas dans le métier de/d'

agent de police
infirmier/infirmière
ouvrier/ouvrière
employé(e) de bureau
facteur
pharmacien(ne)
mécanicien(ne)
vendeur/vendeuse
secrétaire
musicien(ne)
coiffeur/coiffeuse

c'est que

c'est

ce n'est pas

intéressant
bien payé
passionnant
un travail varié
mal payé
dangereux
trop stressant
très fatigant
ennuyeux
salissant

Maintenant, écris cinq phrases pour et cinq phrases contre de différents métiers.

Le chômage

Lis ces deux lettres sur le chômage. Que pensent les deux jeunes?

> Je pense que tous les jeunes ont peur du chômage. J'habite à quelques kilomètres de la plus grosse usine produisant de la charcuterie, et comme j'ai des amis qui y travaillent, j'ai toujours peur du licenciement. Dans toutes les usines, les robots ont pris la place des hommes et ça me révolte. Enfin, même s'il y a beaucoup de chômage en France, je pense que notre génération trouvera du travail, même s'il y a des robots.
> Denis

> Il y a cinq ans en rentrant de l'école, j'ai vu ma mère en larmes sur le canapé dans les bras de mon père. Elle venait de se faire licencier. Cette image m'a profondément choqué et je l'ai encore dans ma mémoire. Heureusement pour tous, ça n'a duré que quatre mois. Depuis, le chômage me fait peur. Le nombre de chômeurs en France et dans le monde, c'est horrible!
> Patrick

A

Qui parle? Denis, Patrick ou les deux?

1 «Ma mère a perdu son travail.»
2 «Le chômage me fait peur.»
3 «Il y a beaucoup de chômage, mais moi je suis toujours assez optimiste.»
4 «Le chômage est un problème mondial.»

B

Complète ces phrases.

1 Denis a des amis qui travaillent ....
2 Licenciement, ça veut dire qu'on ....
3 Dans les usines, les hommes sont remplacés par ....
4 La mère de Patrick a mis quatre mois pour ....

Ce n'était pas trop difficile!

Lis comment cette fille gagnait beaucoup d'argent sans beaucoup travailler.

Le travail? Ce n'est pas trop difficile. Moi, par exemple, j'ai fait un peu de tout. A l'âge de neuf ans je recyclais les déchets des voisins - bouteilles, cannettes, journaux. On me payait 10 francs la visite aux conteneurs. Mais ce n'était pas tout! A vrai dire, je ne recyclais pas les journaux tout de suite. Ce qui était bien, c'était que je connaissais quelqu'un dans une entreprise qui recyclait les journaux. Il me payait 10 francs les cent journaux. Je gardais donc les journaux des voisins dans le garage pendant quinze jours - le temps d'en ramasser cent. Puis mes parents me transportaient les journaux à l'entreprise. Alors 10 francs par visite aux conteneurs plus 10 francs par cent journaux à recycler - j'étais riche!

Puis à l'âge de douze ans j'offrais un autre service aux voisins. Je promenais tous les chiens du quartier à tour de rôle, à 20 francs de l'heure. De temps en temps je promenais deux chiens à la fois, ce qui me rapportait 40 francs de l'heure. Ce que je n'aimais pas tellement c'était les moments où les deux chiens s'agressaient - j'avais un peu peur. Mais l'idée de toucher 40 francs de l'heure me remontait le moral!

A l'âge de quatorze ans j'organisais un service de lavage de voitures sur le grand parking du centre commercial. J'avais cinq copains qui lavaient les voitures des automobilistes pendant qu'ils faisaient leurs courses. Bien sûr, je m'occupais des clients et de la caisse, alors je n'avais pas le temps de laver les voitures - je n'aimais pas ça, moi! On nous payait c'est-à-dire on me payait - 30 francs la voiture. Les copains lavaient dix voitures par heure pendant quatre heures - 1 200 francs. Je les payais 100 francs chacun, ce qui me laissait un profit de 700 francs. Pas mal comme affaire, je trouve. Avec tout l'argent que j'ai gagné, je me suis payé une super collection de CDs, cassettes et vidéos rock et une chaîne hifi avec CD superbe. Maintenant je loue mon équipement et ma collection de musique à tout le monde - cafés, collèges, clubs de jeunes, copains qui fêtent leur anniversaire.

Et le prix? 500 francs la soirée.

Et oui, c'est une belle affaire, la vie. Et le travail? C'est bien, si ce n'est pas trop fatigant!

Il s'agit de quoi?

1 Elle les recyclait à l'âge de neuf ans.
2 Elle les gardait dans le garage.
3 Elle les promenait pour vingt francs de l'heure.
4 Ça lui remontait le moral dans les moments difficiles.
5 Elle l'organisait sur le grand parking du centre commercial.
6 Elle n'aimait pas ça.
7 Elle les loue à cinq cents francs la soirée.
8 Elle trouve que c'est bien, si ce n'est pas trop fatigant.

🏠 A faire chez toi

Prépare une réponse à ces questions, par oral ou par écrit.

Qui fait les courses chez toi? Et si tu vas dans les grands magasins, quels rayons t'intéressent le plus? En ce qui concerne les vêtements, que préfères-tu? Tu fais un petit boulot à côté? Tu y gagnes combien? Et quand tu en auras l'âge, tu aimerais un travail comment?

Pas vrai!

Retour de voyage

Imagine que tu viens de faire le tour du monde. Tu trouves les pièces d'argent suivantes dans ta poche. Tu peux relier les monnaies et les pays?

1 le zloty		**A** Inde
2 le yen		**B** Allemagne
3 l'escudo		**C** Brésil
4 le cruzeiro		**D** Grande-Bretagne
5 le mark		**E** Grèce
6 le florin		**F** Portugal
7 le dinar		**G** Pays-Bas
8 le drachme		**H** Japon
9 la livre		**I** Tunisie
10 la roupie		**J** Pologne

(Solution à la page 193)

Chers clients ...

En trente ans les techniques de vente des hypermarchés se sont beaucoup développées. Tout est bien programmé. Plus rien n'est laissé au hasard. On a ouvert le premier hypermarché en France en 1963 ... Aujourd'hui il y en a plus de 900.

Les méthodes de vente dans les hypermarchés sont beaucoup influencées par le 'merchandising' importé d'Amérique.

Première stratégie de l'hypermarché: le consommateur veut aller au plus vite donc il doit trouver facilement un caddie vide.

Deuxième stratégie: Plus le caddie est grand plus on a tendance à le remplir. Le client voit les articles et se laisse tenter.

Troisième stratégie: On crée des allées larges et éclairées. Tout est calculé pour que les clients achètent le maximum.

La ronde du chiffon

Le chiffon fait du papier
Le papier fait de la monnaie
La monnaie fait des banques
Les banques font des emprunts
Les emprunts font des mendiants
Les mendiants font du chiffon
Le chiffon fait ...

Les coiffeurs de Saint-Clin

Un inconnu arrive à Saint-Clin. Dans ce petit village perdu au fond de la campagne, il y a deux coiffeurs. Notre homme a besoin d'une belle coupe de cheveux. Il va d'abord chez Martin le coiffeur. Le salon est sale, et Martin est très mal coiffé. Il va ensuite chez Ben, l'autre coiffeur. Là, au contraire, tout est propre et Ben a les cheveux coupés à la dernière mode. En sortant de chez Ben, notre homme se demande où il va aller se faire couper les cheveux. Après une brève réflexion il va chez ... Martin. Pourquoi?

(Solution à la page 193)

Quatrième stratégie: On place les livres, disques, cassettes-vidéo à l'entrée. Avant d'acheter les articles indispensables, le consommateur s'achète un petit cadeau au rayon loisirs.

Cinquième stratégie: Le rayon boucherie est toujours placé au fond du magasin. Le client doit ainsi circuler parmi les 50 000 autres produits avant d'y arriver. Pour la même raison, les lessives, produits de première nécessité, sont placées parmi le sucre et le lait au fond du magasin.

Sixième stratégie: Les fruits et légumes sont sous une lumière très forte où ils prennent de la couleur et paraissent plus frais. Ils sont de moins en moins emballés et sont plutôt disposés en pyramides comme au marché. Le client peut toucher et finit par acheter plus de variétés.

Septième stratégie: La musique est programmée pour nous faire acheter. Après le déjeuner et au moment des fêtes, de la musique plus dynamique est programmée.

Blague

Dans un magasin une dame dit à la vendeuse:

– Bonjour, je voudrais essayer cette robe dans la vitrine.

– Ah bon? Vous ne préférez pas dans la cabine d'essayage?

Station service

Quantities and comparing prices

Je voudrais	un kilo			carottes.	I'd like a kilo of carrots.	**177**
Il me faut	une livre	de		cerises.	I need a pound of cherries.	
Avez-vous	cinq cents grammes			pêches.	Do you have 500 grammes of peaches?	

Les pêches sont	plus			les oranges.	The peaches are more expensive than the oranges.	**180**
Les carottes sont	moins	chères	que	les haricots.	The carrots are less expensive than the beans.	

Which one(s)? This one? That one? These? Those?

Je voudrais essayer	ce pull.	Lequel?	Celui-ci?	Non, celui-là.
	cette jupe.	Laquelle?	Celle-ci?	Non, celle-là.
	ces gants.	Lesquels?	Ceux-ci?	Non, ceux-là.
	ces chaussures.	Lesquelles?	Celles-ci?	Non, celles-là.

I'd like to try on that sweater. Which one? This one? No, that one. **190**
I'd like to try on that skirt. Which one? This one? No, that one.
I'd like to try on those gloves. Which ones? These? No, those.
I'd like to try on those shoes. Which ones? These? No, those.

Agreeing to buy goods or saying why not

Oui,	ça me	va bien.	Yes, they/it suit(s) me.	**178**
		plaît.	I like it/them.	
Je	le/la/les	prends.	I'll take it/them.	

Non, c'est	un peu	cher/court.	No, it's a bit expensive/short.	**179**
Non, c'est	trop	long/grand/serré.	No, it's too long/big/tight.	

Saying what sort of job you would and would not like

J'aimerais	un travail	varié.	I'd like a job with some variety.	**186**
Je voudrais		intéressant.	I'd like an interesting job.	
		technique.	I'd like a technical job.	

Je préférerais	travailler	dehors.	I'd prefer to work outside.
		avec les jeunes.	I'd prefer to work with young people.
		avec les animaux.	I'd prefer to work with with animals.

Je n'aimerais pas	être	facteur.	I wouldn't like to be a postman.
		professeur.	I wouldn't like to be a teacher.

The imperfect tense – how things were, what you used to do

Je	recyclais	les déchets.	I used to recycle rubbish.	**184**
	gardais	les journaux.	I used to keep the newspapers.	
	promenais	les chiens.	I used to take the dogs for a walk.	
	connaissais	quelqu'un.	I used to know someone.	
	m'occupais de	la caisse.	I used to look after the till.	

On me	payait	10 francs de l'heure.	I used to get paid 10 francs an hour.
Ils	touchaient	100 francs chacun.	They used to get 100 francs each.
Les chiens	s'agressaient.		The dogs used to go for each other.

Quel magasin?

Regarde la liste et les photos des magasins. Où est-ce qu'on peut acheter chaque article?

1 un bouquet de roses
2 une boîte de bonbons
3 une peluche
4 une BD
5 un bracelet
6 une pelle

à la	quincaillerie confiserie librairie	
au	magasin de	jouets souvenirs
chez	le fleuriste	

C'est la mode, ça?

Sers-toi des phrases pour décrire chaque vêtement.

C'est trop	long. large. serré.	cher. court.

Au marché

Dresse une liste de courses que tu dois faire au marché. La liste doit comporter au moins cinq légumes, cinq fruits et cinq autres choses à manger.

Métiers

Lis les phrases puis trouve le meilleur boulot pour chaque personne dans la liste ci-dessous. Ecris une phrase pour chaque personne.

Exemple
Nathalie aimerait être institutrice.

Nathalie Je voudrais travailler avec les enfants.

Serge J'aime beaucoup voyager et rencontrer des gens.

Monique Je veux travailler avec les animaux.

Christine J'aime beaucoup travailler en équipe. Je suis assez artiste.

Ali Je veux un travail varié où je peux aider les gens.

Nadia Je veux travailler seule et je veux voyager beaucoup.

Laurent Je veux travailler dans une usine. Pour moi, ce n'est pas important si le travail est intéressant.

infirmier *chauffeur de poids lourd*

ouvrier *dessinatrice* *steward*

assistante vétérinaire *institutrice*

Décode!

Décode les lettres et classe les mots.

vêtements	légumes	fruits
jupe		

peuj   sucharesus   snuper

rothisac   beansan   ueital

soregan   rollevup   trascote

Je n'aimerais pas …

Relie les phrases et les dessins.

Exemple
1C

1 Je n'aimerais pas un travail dangereux.
2 Je n'aimerais pas travailler avec les enfants.
3 Je n'aimerais pas travailler au bureau.
4 Je n'aimerais pas travailler dans une usine.
5 Je n'aimerais pas travailler dehors.
6 Je n'aimerais pas voyager beaucoup.

Invente d'autres phrases illustrées comme ça.

Gagné et dépensé

Voici ce que Julien a reçu, gagné, trouvé, dépensé, offert et perdu cette semaine. Fais des calculs pour Julien: il lui reste combien d'argent à la fin de la semaine?

- Il a reçu trente francs de son oncle Jean-Claude.
- Il a payé quarante-cinq francs pour aller au cinéma.
- Il a gagné cent vingt francs en lavant les voitures des voisins.
- Il a trouvé vingt francs dans la rue.
- Il a acheté un CD pour cent francs.
- Il a perdu cinq francs au club de jeunes.
- Ses parents lui ont donné cinquante francs comme argent de poche.
- Sa grand-mère lui a offert quarante francs.
- Il a payé cent dix francs pour un cadeau d'anniversaire pour sa sœur.

Cherche l'intrus

	A		B	
1	boulanger		musicien	
	C actrice		D vendeur	
2	la pâtisserie		la boucherie	
	C l'alimentation		D le commissariat	
3	un franc		une livre sterling	
	C un centime		D un chèque	
4	des bananes		des fruits de mer	
	C des poires		D des cerises	
5	faire le ménage		faire la vaisselle	
	C faire le plein		D faire la cuisine	
6	un litre		un kilo	
	C cinquante grammes		D une livre	
7	les haricots		les prunes	
	C les pommes de terre		D les carottes	
8	premier étage		rez-de-chaussée	
	C sous-sol		D rayon jouets	
9	cité		ville	
	C usine		D mégapole	
10	j'aimerais		je voulais	
	C je préférerais		D je voudrais	

Le fric

Relie les bonnes paires de phrases.

1 *Je ne m'intéresse pas à l'argent.*
2 *Je dépense beaucoup d'argent.*
3 *Je me dispute beaucoup avec mes parents au sujet de l'argent.*
4 *Je fais plein de choses pour gagner de l'argent.*
5 *Je n'ai pas beaucoup d'argent mais ça suffit pour mes besoins.*

A «J'adore sortir avec les copains … aller au cinéma, au café et faire des achats.»
B «J'ai trois petits boulots à côté et j'aide beaucoup à la maison aussi.»
C «L'argent n'a aucune importance pour moi.»
D «J'en ai assez pour sortir de temps en temps.»
E «Ils ne me donnent pas d'argent de poche.»

Maintenant écris ce que tu penses de l'argent en deux phrases.

Quel prix?

Lis les indices et calcule le prix de chaque article.

- La jupe est plus chère que le pantalon.
- La chemise est moins chère que le pantalon.
- Le pull est plus cher que la jupe.
- L'écharpe est la plus chère de tous.

Ma passion à moi

Lis ce qu'a écrit Tony et réponds aux questions ci-dessous.

Moi, je suis passionné par la protection de la nature, surtout par le problème des espèces menacées. A l'école, en sciences nat, on a fait un exposé sur les animaux menacés. C'est là que j'ai commencé à m'intéresser aux ours bruns des Pyrénées, l'animal le plus menacé en France. Avant, il y en avait beaucoup, mais on les chassait parce qu'ils étaient considérés comme animaux nuisibles. En 1940 il n'en restait que 200. Aujourd'hui il n'y a qu'une dizaine d'ours dans les Pyrénées. On ne les chasse plus, mais leur habitat est menacé par la construction de routes et de stations de ski, et par le nombre croissant de touristes qui viennent en montagne. J'aimerais travailler dans la conservation, la protection des espèces rares, mais je sais qu'il faut de longues études pour faire ça. Entretemps, je lis tout ce que je peux trouver sur ce sujet. J'ai toute une collection de posters et de photos d'ours bruns dans ma chambre et mon rêve, c'est d'en voir un moi-même un jour!

1 Comment Tony a-t-il découvert la situation des ours bruns?
2 Qu'est-ce qui a réduit leur nombre dans le passé?
3 Quelles sont les plus grandes menaces pour eux aujourd'hui?
4 Combien d'ours bruns y a-t-il dans les Pyrénées maintenant?
5 Qu'est-ce que Tony voudrait faire comme métier?
6 Si on visitait sa maison, comment saurait-on qu'il s'intéresse à cet animal en particulier?
7 Quel est son plus grand espoir?

Roman photo

A la clinique vétérinaire.

Ceci est la partie la plus difficile de l'opération. Ça ne te gêne pas de regarder ça?

Au contraire. C'est le plus intéressant!

Je n'avais jamais pensé à travailler avec les animaux, mais en fait …

Elle est vraiment très motivée. Je ne m'attendais pas à ça.

Au journal, où Mathieu fait son stage.

D'accord.

Alors là, on a toutes les petites annonces pour le journal de mercredi prochain.

Le soir même.

Bonjour. Excusez-moi de vous demander mais … est-ce que vous lisez les offres d'emplois dans le journal?

Bien sûr. J'ai téléphoné à plusieurs numéros la semaine dernière mais tous les emplois étaient déjà pris.

C'est ce que j'avais pensé. Tenez. Voici le nouveau.

Je ne savais pas qu'il était déjà sorti.

Il n'est pas sorti.

La télé ... qu'en penses-tu?

Lis les commentaires puis complète les phrases ci-dessous.

Vincent

Moi, je trouve qu'il y a trop de bêtises à la télé et les meilleurs films sont souvent tard le soir.

Ludovic

C'est très utile pour l'actualité d'aujourd'hui. Il y a beaucoup de reportages et de films intéressants.

Evelyne

Il y a trop de dessins animés. Je préférerais plus de documentaires et des émissions instructives comme par exemple, les émissions sur d'autres pays ou sur l'environnement.

Camille

J'aime surtout des émissions drôles. Mais je ne regarde pas souvent la télévision car j'aime mieux la lecture.

Justine

J'aime les émissions qui parlent de la nature, des insectes et des animaux. Ça m'intéresse et j'apprends beaucoup de choses.

Je trouve que la télé prend trop de place dans nos vies. C'est comme une drogue.

Mohamed

Il y a beaucoup d'émissions pour les petits enfants mais il n'y en a pas beaucoup pour les jeunes de 15 à 16 ans.

Audrey

Je suis un cas spécial. Je n'ai pas de télé. Mais on peut vivre sans la télé!

Hugo

J'aime bien regarder la télévision, surtout les émissions de sport et les émissions scientifiques. J'aime aussi les émissions comiques.

Guillaume

Solange

Moi, je trouve que la télévision est un système de communication extraordinaire. Il y a de très bonnes émissions, comme par exemple, les reportages en langues étrangères. Mais il n'y a pas assez de bons films et il y a trop de films violents.

Complète les phrases.

1 Il n'y a pas de télévision chez _____.
2 _____ trouve qu'il n'y a pas assez d'émissions pour son âge.
3 _____ se plaint de l'heure des émissions qui l'intéressent.
4 _____ et _____ aiment les émissions humoristiques.
5 _____ et _____ préfèrent les documentaires.
6 _____ trouve qu'on risque de perdre son temps devant la télé.

A toi la parole

Travaille avec ton/ta partenaire. Dis ce que tu préfères et ce que tu n'aimes pas à la télé. Ensuite, écris ton opinion en quelques lignes.

Rappel

J'aime	bien mieux	les	émissions comiques. films. actualités.
		la	lecture.
Je préférerais avoir		plus de	documentaires.
Je trouve	que		la télé est comme une drogue.
	qu'il y a		de bonnes émissions.
		trop de	dessins animés. bêtises.
	qu'il n'y a pas assez		de bons films. d'émissions pour les jeunes.
	qu'on peut		vivre sans télé.

Qu'est-ce qu'il y a à la télé?

18.00

18.00	●TF1	Les grosses têtes (émission humoristique)
18.00	●F2	Journal (actualités)
18.00	●F3	Questions au gouvernement (en direct de l'Assemblée Nationale)
18.00	●C+	Basket-ball (résumé du match numéro un de la finale)
18.00	●Arte	Journal (actualités)
18.00	●M6	Un flic dans la Mafia (série américaine)
18.45	●TF1	Le jour le plus long (film)
18.45	●F3	Tennis (journal de Roland Garros)
18.45	●C+	Cirque chinois

19.00

19.00	●Arte	Fast Forward (série australienne en 26 épisodes)
19.00	●M6	Madame est servie (série américaine)
19.15	●F2	Que le meilleur gagne (jeu)
19.25	●F3	Tout le sport
19.30	●C+	Boxe
19.30	●Arte	Le tabac et ses victimes (documentaire allemand)
19.45	●M6	Plein soleil (film)

20.00

20.00	●F2	Journal (actualités)
20.10	●F3	La marche du siècle (magazine)
20.15	●Arte	Les Noces de Figaro (opéra)
20.30	●C+	Un flic à Chicago (film)

21.00

21.20	●TF1	Columbo (série)
21.25	●F2	Agaguk. Histoire d'amour et de mort chez les Esquimaux (documentaire)
21.30	●F3	Rapptout (magazine)

22.00

22.00	●F3	Journal (actualités)
22.00	●C+	Libres éléphants du Botswana (documentaire)
22.30	●F2	Rugby
22.30	●M6	Mission impossible (série)

23.00

23.05	●F2	Journal (actualités)

C'est possible?

Lis les paroles de ces jeunes et regarde les horaires de télé. C'est possible ou non?

«Je vais regarder l'émission humoristique sur TF1 et puis le tennis sur la Trois.» **Jacques**

«Je vais regarder le documentaire sur le tabac sur Arte et puis le film sur la Six.» **Fadela**

«Je vais regarder la série australienne 'Fast Forward' avant de regarder la boxe sur Canal plus.» **Dimitri**

«Après avoir regardé le jeu sur la Deux, je vais regarder 'La marche du siècle' sur la Trois.» **Monique**

«Je vais regarder 'Rapptout' sur la Trois et puis le documentaire sur les éléphants sur Canal plus.» **Ali**

«Je vais regarder le film sur TF1 et après, celui sur la Six.» **Sabine**

Ça te dit?

Ecoute les conversations sur la cassette. Qu'est-ce qu'on décide de regarder à chaque fois?

Et toi?

Regarde les émissions encore une fois. Si tu avais le choix, qu'est-ce que tu regarderais ce soir à la télé?

Rappel

	il y a		à la télé?
Qu'est-ce qu'	on	passe va regarder	
Je vais		le sport.	

Ça te dirait de Tu as envie de	regarder	le documentaire le jeu la série les dessins animés	sur	la	Une? Deux? Trois?
				Canal Plus?

Tu aimes lire?

 Voici cinq jeunes qui parlent de la lecture. Ecoute la cassette. Qui parle?

Ali

Moi, je ne lis pas beaucoup. Ça ne m'intéresse pas! Et je n'ai pas le temps. Je sors souvent avec mes copains et je fais vraiment beaucoup de sport. Le soir, j'aime bien regarder la télé.

Julien

J'adore lire. Je ne pourrais pas vivre sans livres. J'ai commencé à lire à l'âge de cinq ans et à neuf ans j'avais déjà lu beaucoup de choses.

Hugues

Avant, je détestais lire ou je lisais simplement des bandes dessinées. Je n'avais pas bien compris l'importance de la lecture. Maintenant je lis beaucoup. Pour moi, c'est une 'drogue'.

Christine

Les livres sont merveilleux. Ils me permettent de m'échapper. Quand je lis, j'entre dans un monde complètement différent. Si je n'avais pas découvert la lecture, je ne sais pas ce que je ferais de mon temps libre. Je ne suis pas du tout sportive.

Avec qui es-tu d'accord? Pourquoi?

Exemple

Je suis d'accord avec … parce que moi aussi je …

Cécile

Je trouve les livres captivants. Je suis passionnée de lecture. Quand je lis, je m'identifie au héros et j'oublie tout.

ALPHONSE et...

MAIS... OÙ EST LE FILM QUE J'AI ENREGISTRÉ CET APRÈS-MIDI?

MAIS JE L'AVAIS DÉJÀ PROGRAMMÉ POUR ENREGISTRER UN CONCERT À DEUX HEURES.

QUOI!

MAIS... LE CONCERT N'EST PAS ENREGISTRÉ NON PLUS!

DÉSOLÉ, LES GARS. CET APRÈS-MIDI J'AI REGARDÉ MA CASSETTE DE GYMNASTIQUE.

PAS DE PROBLÈME. CÉLINE M'A PRÊTÉ UNE SUPER VIDÉO DE MICKEY!

La pub

Les prix les plus bas! Le plus grand choix!

Voici des commentaires sur la pub:

Delphine: J'avais déjà dépensé tout mon argent de poche, et j'en avais marre de mon vieux classeur. Alors, j'ai découpé les pubs et je les ai collées dessus et hop … mon classeur était bien mieux!

Luc: Je trouve que la publicité est nécessaire. Les entreprises doivent faire connaître leurs produits. J'aime beaucoup la pub pour certaines voitures par exemple.

Pascal: C'est très répétitif, surtout la pub pour les lessives. Ça m'énerve surtout quand ils montrent la même pub plusieurs fois par soir.

Anne-Sophie: Moi, j'aime la pub. Ça m'influence même! Si je n'avais pas vu une pub pour un produit pour les boutons, j'aurais toujours plein de boutons sur le visage. Vive la pub!

Agnès: J'ai horreur de ça. Ce n'est pas agréable de voir les films coupés quatre à cinq fois par la pub. Mais le plus embêtant, c'est quand on coupe mon feuilleton préféré.

Marc: Avant j'habitais en Pologne. En arrivant ici j'étais étonné parce que je n'avais jamais vu tant de pub! Je trouve que certaines pubs sont vraiment nulles et bêtes. Je pense qu'on utilise trop la pub. On la trouve partout dans les rues, dans les revues, à la télé.

Charlotte: Il y a une énorme diversité de pubs et beaucoup de publicitaires ont du talent. J'avais déjà collectionné plein d'autres choses … des pin's, des timbres … et puis je suis devenue fana de pub! Maintenant je fais collection d'affiches de pubs mignonnes.

1 Qui trouve que la pub peut être utile?
2 Qui n'aime pas que les émissions soient interrompues par de la pub?
3 Qui trouve qu'il y en a trop?
4 Qui a trouvé un usage pratique pour la pub dans des revues?
5 Qui pense que c'est indispensable à l'économie?
6 Qui en garde des exemples intéressants?

Et toi? Que penses-tu de la pub?

La meilleure pub!

Crée de la publicité pour les produits ci-dessous.
Utilise des expressions au superlatif et sers-toi des adjectifs dans la case.

Exemple
Le livre le plus drôle

boisson

livre

linge

voiture

parc d'attractions

vacances

tee-shirt

couleurs

ordinateur

informations

colle

confortable	fidèles	grand	cool
petit	délicieuse		heureuses
détaillées	drôle	forte	propre

Pourquoi?

Pourquoi les plus belles filles
Sortent-elles toujours avec quelqu'un d'autre?
Pourquoi les plus beaux habits
Coûtent-ils toujours trop cher?
Pourquoi les meilleures invitations
Tombent-elles toujours au mauvais moment?
Pourquoi les meilleurs films
Passent-ils toujours trop tard?
Pourquoi le plus mauvais temps
Arrive-t-il toujours le week-end?
Pourquoi les meilleures idées
Viennent-elles toujours quand on n'en a plus besoin?
Pourquoi les journées les plus heureuses
Passent-elles toujours trop vite?
Pourquoi les questions les plus importantes
N'ont-elles jamais de réponse?

Rappel

le yaourt le			délicieux cher
la boisson la		plus	délicieuse populaire
les livres les			intéressants drôles
les vacances les			heureuses ensoleillées
le	meilleur	élève	
la	meilleure	pub	
le	plus	beau grand	village magasin
la		grande petite	usine ville

Records du cinéma

Cherche les bons détails pour chaque record.

- Le film le plus long
- Le film le plus cher
- Le film qui a battu les records d'entrées
- Le plus célèbre personnage de dessins animés
- Le film le plus odorant
- Le plus grand cinéma du monde

- Le film le plus récompensé
- Les personnages le plus souvent filmés au cinéma
- Le pays où l'on produit le plus grand nombre de films
- Le film où on s'embrasse le plus

1 Vedette toutes catégories, avec 197 films: Sherlock Holmes. Viennent ensuite: Napoléon (172 films), Dracula (155 films), et Jésus-Christ (135 films). Ils sont suivis de Tarzan, Cendrillon, Robin des Bois, et Cléopâtre.

2 Dans 'Don Juan', un film américain de 1927, le héros distribue 127 baisers à ses deux partenaires! Le plus long baiser de l'histoire du cinéma a duré trois minutes et cinq secondes. Il a été donné, en 1940, par l'actrice Jane Wyman, première épouse du futur Président américain Ronald Reagan!

3 Depuis sa réalisation, en 1939, 'Autant en emporte le vent', le célèbre film américain, a été vu, sur grand écran, par 120 millions de personnes, à travers le monde.

4 C'est 'Polyester', un film américain de 1981. En entrant dans la salle, les spectateurs recevaient un carton avec des cases numérotées de 1 à 10: quand un numéro apparaissait sur l'écran, ils grattaient le carton pour libérer une odeur: essence, glace à la vanille, vieille chaussette, poubelle …

5 'Le film le plus long et le plus insignifiant du monde', un film anglais de 1970 … deux jours de cinéma!

6 C'est le Radio City Music Hall de New York. Il peut accueillir près de 6 000 spectateurs.

7 Depuis près de 20 ans, c'est l'Inde, avec, en 1990, près de 1 000 films produits par an!

8 'True Lies', un film américain a coûté, à la production, plus de 70 millions de dollars.

9 C'est Mickey Mouse, bien sûr. Il est né, sur les écrans, le 18 novembre 1928, avec la voix de son père, Walt Disney.

10 'Ben Hur' (1959) a reçu 11 Oscars, les fameuses récompenses américaines remises par l'Académie des arts et des sciences du cinéma. 'Autant en emporte le vent' (1939) en avait reçu 10.

Maintenant, complète ces phrases.

1 Radio City est ....
2 'True Lies' était ....
3 Jane Wyman a donné ....
4 L'Inde, c'est ....
5 Mickey Mouse est ....
6 'Autant en emporte le vent' est
   ....
7 Sherlock Holmes est ....
8 'Ben Hur' était ....

«Ce sont des Français, Louis et Auguste Lumière, qui ont inventé le cinéma.»

C'est vrai? Eh bien, oui et non. En 1895 les frères Lumière ont marqué le début officiel du cinéma en faisant la première projection du Cinématographe. Mais il y avait eu toute une série d'inventions avant, qui leur ont permis de faire ça.

En 1823, par exemple, on avait inventé un jouet révolutionnaire ... un disque illustré avec, par exemple, un oiseau d'un côté et de l'autre une cage. Quand on faisait tourner le disque très vite, on croyait voir l'oiseau dans la cage.

En 1877, le photographe français Emile Reynaud avait inventé le Praxinoscope. Il avait projeté en public les premiers 'dessins animés' qu'il appelait 'Pantomimes lumineuses'.

En 1882, un médecin français également avait inventé un appareil photo en forme de fusil

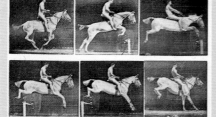

pour étudier le mouvement des animaux. Il pouvait prendre douze photos par seconde d'un oiseau en vol. Il avait photographié le mouvement pour la première fois.

Le photographe anglais Edward Muybridge avait filmé le mouvement d'un cheval au galop en utilisant *quarante* appareils photos!

Et, chose très importante, en 1891, l'américain Thomas Edison (inventeur de la lampe électrique) avait inventé la pellicule 35mm avec le Kinétoscope, une boîte en bois avec un trou par lequel le spectateur pouvait regarder un petit film.

Ce que les frères Lumière ont fait, c'est de trouver un moyen de projeter le film en public.

«C'est à Hollywood, en Californie, que le cinéma a vraiment commencé à être une industrie.»

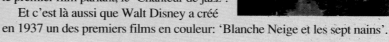

C'est vrai? Non! A la fin du 19ème siècle, on avait commencé à créer les premiers studios à Paris et à New York. Aux Etats-Unis entre 1905 et 1910, on avait multiplié le nombre de salles de cinéma par 1 000. Mais c'est le producteur Charles Pathé qui avait dominé le cinéma mondial jusque dans les années 1910.

Ensuite, en 1910, on a créé Hollywood en Californie. Pourquoi avait-on choisi cet endroit? Facile – à cause de ses paysages et de son ensoleillement.

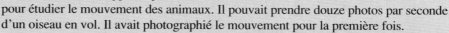

C'est là que l'on a fait, le 6 octobre 1927, le premier film parlant, le 'Chanteur de jazz'.

Et c'est là aussi que Walt Disney a créé en 1937 un des premiers films en couleur: 'Blanche Neige et les sept nains'.

Ecris ce que tu savais déjà et ce que tu ne savais pas, en trouvant la bonne fin de chaque phrase.

Exemple

Je ne savais pas que le dessin animé avait été inventé par un photographe français.

Je savais que
Je ne savais pas que

le dessin animé	s'était multiplié par 1 000 dans les 15 premières années.
les premiers films en couleurs	était venue d'un médecin français.
le nombre de cinémas aux Etats-Unis	avait été inventé par un photographe français.
l'on avait construit les studios à Hollywood	à cause de son climat et de ses paysages.
Thomas Edison, au moment d'inventer le Kinétoscope,	avait dominé le cinéma mondial à ses débuts.
l'idée de photographier le mouvement	avaient inventé le cinématographe.
le Français Charles Pathé	avait déjà inventé la lampe électrique et le télégraphe.
les frères Lumière	étaient sortis avant 1940.

Les jeunes et le cinéma: sondage

1 Vas-tu au cinéma?

1 sur 4 y est allé 6 fois ou plus dans l'année: 23,5%

1 sur 4 n'est pas allé au cinéma depuis au moins 1 an: 25%

1 sur 4 y est allé 3 à 5 fois dans l'année: 26%

1 sur 4 y est allé 1 ou 2 fois dans l'année: 25,5%

2 Quelle sorte de film aimes-tu?

Est-ce que tu aimes … ?	Beaucoup	Pas tellement	Ça dépend + Je ne sais pas
Les films qui font rire	95%	1,5%	3,5%
Les films qui font rêver	65%	21,5%	13,5%
Les films qui font réfléchir	42,5%	40%	17,5%
Les films qui font peur	41%	40%	19%
Les films qui font pleurer	25%	59%	16%

3 Préfères-tu le cinéma ou la télé?

1 sur 4 préfère voir un film sur un écran de télévision: 25%

3 sur 4 préfèrent voir un film dans une salle de cinéma: 75%

4 Qu'est-ce que tu aimes dans un film?

	Très important	Pas très important	Je ne sais pas
L'histoire	91,5%	7,5%	1%
La beauté des images	88,5%	10,5%	1%
Que ça finisse bien	71,5%	27,5%	1%
La présence d'un acteur/ actrice que tu aimes	69,5%	28,5%	2%
Les effets spéciaux	67%	30,5%	2,5%
La musique	66,5%	31,5%	2%
Une récompense comme les Oscars ou les Césars	42,5%	52,5%	5%
Le titre du film	39,5%	58,5%	2%
Le metteur en scène	20%	75,5%	4,5%
Que ça finisse mal	15%	78%	7%

5 Comment sais-tu, en général, si un film est bien?

Mes parents me conseillent d'aller le voir: 29,5%

Mes amis me conseillent d'aller le voir: 62%

Je vois des extraits ou la bande-annonce: 81%

Je lis des choses à son sujet: 54%

J'en ai entendu parler à la télé ou à la radio: 68%

6 Si on te donnait 50 francs, qu'est-ce que tu ferais avec?

Sans réponse: 1%

J'achèterais des BD: 6%

Autres: 8,5%

J'achèterais un livre: 11,5%

J'irais manger ou boire avec des copains: 14,5%

J'achèterais un CD ou une cassette: 20%

J'irais au cinéma: 38,5%

Vrai ou faux?

1 La plupart des gens vont au cinéma.
2 Les films humoristiques sont les plus populaires.
3 La plupart des gens préfèrent voir un film à la télé.
4 Les gens préfèrent une fin heureuse.
5 La plupart des jeunes sont très influencés par leurs parents en ce qui concerne les films.
6 Beaucoup de jeunes préféreraient acheter une bande dessinée s'ils avaient de l'argent.

🏠 A faire chez toi

Prépare une réponse à ces questions, par oral ou par écrit.

What do you think about tv

1 Que penses-tu de la télévision?
2 Quelle est ton émission préférée?
3 Y a-t-il beaucoup de pubs à la télé dans ton pays? Tu aimes ça? Crois-tu que ça t'influence?
4 Moi, j'adore la lecture. Et toi, qu'est-ce que tu aimes lire?

Pas**vrai!**

Voyage dans un monde qui n'existe pas

Tu es debout, seul dans une pièce vide, un étrange casque sur la tête et des gants aux mains. Tu lèves une main et tu sembles saisir un objet. En fait, tu 'vis' dans un monde que les autres ne voient pas. Tu es non seulement spectateur, mais aussi acteur. Pas de science-fiction. Une vraie révolution!

Dans ton casque il y a deux mini-téléviseurs reliés à un ordinateur. Chaque téléviseur envoie une image panoramique. Ainsi, tu es véritablement transporté dans un monde 'virtuel'.

Pour l'instant, les 'machines à virtualité' permettent de 'vivre' dans des mondes assez simples. Mais, dans cinq ans, dans dix ans, le choix sera plus large: attaquer les monstres d'une planète imaginaire? Rencontrer ton actrice préférée? Pour jouer seulement? Non. Un architecte pourra visiter une maison inexistante et la modifier, un élève se promènera au milieu des molécules de son problème de chimie, etc.

Un peu de patience! Il faut attendre quelques années! Mais tu peux toujours rêver. Pour ça, pas besoin de casque, n'est-ce pas?

Cette femme n'est pas en train de pratiquer le dernier sport à la mode. Elle est au cœur des images envoyées par sa 'machine à virtualité'.

Avec leurs casques stéréoscopiques et leurs gants numériques, ces médecins peuvent manipuler un squelette virtuel dans un centre de recherche de la Nasa.

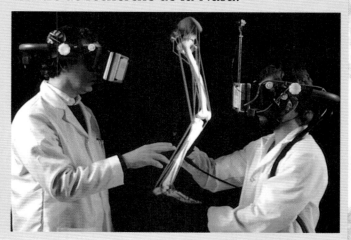

Copines généreuses

Monique, Elsa et Marine ont acheté chacune un magazine de jeunes: 'Okapi', 'Podium' et 'Science et vie'. Elles sont très généreuses et après avoir lu les magazines elles les passent à leurs copains Marc, Jean et Luc. A partir de ces cinq indices, trouve qui a passé et qui a reçu chacun de ces magazines.

- Marc n'a pas reçu 'Science et vie'.
- Monique n'a pas acheté 'Okapi'.
- Elsa a acheté 'Podium' ou 'Science et vie'.
- Luc n'a pas reçu un magazine d'Elsa parce qu'il ne veut pas 'Podium'.
- Marine a passé un magazine à Luc.

(Solution à la page 193)

Blague

Un monsieur trouve un pingouin dans la rue. Il s'adresse à un agent de police qui lui conseille de l'emmener au zoo.

Le lendemain, l'agent les voit revenir ensemble.

– Je ne vous avais pas dit de l'emmener au zoo?

– Si. Il a bien aimé, mais aujourd'hui, on va au cinéma.

Station service

Giving opinions

J'aime	bien	les	émissions comiques.	I like funny programmes.
			actualités.	I like the news.
	mieux	la	lecture.	I prefer reading.

Je trouve	que	la télé est comme une drogue.	I think that television is like a drug.
		la pub est nécessaire.	I think advertising is necessary.
	qu'il y a	trop de dessins animés.	I think there are too many cartoons.
		trop peu d'émissions pour les jeunes.	I think there are too few programmes for young people.
	qu'on	peut vivre sans télé.	I think you can live without television.

Superlatives

| le film | le plus | long | | the longest film | **180** |
| | | cher | | the most expensive film | |

| la boisson | la plus | délicieuse | | the most delicious drink |
| | | populaire | | the most popular drink |

| les livres | les plus | drôles | | the funniest books |
| | | intéressants | | the most interesting books |

| les vacances | les plus | heureuses | | the happiest holidays |
| | | ensoleillées | | the sunniest holidays |

le	meilleur	élève	the best pupil
la	meilleure	pub	the best advert
les	meilleurs	films	the best films
les	meilleures	idées	the best ideas

le		beau	village	the prettiest village
	plus	grand	magasin	the biggest shop
la		grande	usine	the biggest factory
		petite	ville	the smallest town

The pluperfect tense = 'had'

| Je savais | que | les Frères Lumière | avaient | inventé le cinématographe. | **185** |
| | qu' | en 1900 on | avait | déjà commencé à créer les premiers studios. | |

I knew that the Lumière brothers had invented the cinematograph.
I knew that in 1900 they had already started making the first studios.

| Je ne savais pas | que | les premiers films en couleurs | étaient | sortis avant 1940. |

I didn't know that the first colour films had come out before 1940.

| Je n' | avais | jamais pensé à ça. | | I had never thought of that. |

A l'écran

Regarde les émissions de télévision.

20.00		
20.05	●**F3**	Tout le sport
20.25	●**Arte**	Actualités
20.35	●**C+**	Dead Again (film)
20.40	●**Arte**	Transit spécial Japon (magazine)
20.50	●**TF1**	Le cahier volé (film)
20.50	●**F2**	Le grand bleu (film)
20.50	●**F3**	Cirque russe
20.50	●**M6**	Loïs et Clark (série)

21.00		
21.45	●**Arte**	Les nouveaux Sherlock Holmes (documentaire)

22.00		
22.15	●**C+**	Journal
22.20	●**F3**	Elections
22.40	●**TF1**	Columbo (série)
22.40	●**M6**	Amicalement vôtre (série)
22.55	●**F2**	Bas les masques (magazine)
22.55	●**F3**	Les brûlures de l'Histoire (magazine)
22.55	●**C+**	Fatale (film)

23.00		
23.40	●**TF1**	Coucou, c'est nous
23.50	●**F3**	Journal

00.00		
00.00	●**F2**	Journal
00.00	●**C+**	Mac (film)

Vrai ou faux?

1 Il y a six films.
2 Il y a quatre séries.
3 Il y a trois magazines.
4 Il y a une émission de sport sur la Une.
5 Les actualités sont à vingt heures quinze sur Canal plus.

Pub originale

Trouve et recopie la bonne pub pour chaque produit.

Les baskets les plus solides

Les lunettes de soleil les plus cool

Les chocolats les plus délicieux

Le jeu vidéo le plus passionnant

La plus petite télévision du monde

Le personnage le plus célèbre de dessins animés

Chaîne satellite

Invente ta propre chaîne de télévision-satellite. Ecris les émissions pour un week-end (samedi + dimanche).

ASTROTEL:
L'UNIVERS A L'ECRAN

Samedi 22 avril

04.30 Bonjour: télé – déjeuner

08.00 Jupiter – La plus grande planète du système solaire (documentaire)

09.00

A vous, téléspectateurs!

Ecris-nous, si tu as moins de 16 ans. Nomme les films que tu voudrais voir à la télé sur notre chaîne JEUNESSE. N'oublie pas de nous indiquer les genres de film (western, science-fiction, policier, etc.) et tes raisons.

Envoie ta demande à:
JEUNESSE
Films au choix
95 rue des Astres
PARIS 15ᵉ

BONNE CHANCE!

Chère JEUNESSE,
Je vous écris pour vous faire une demande. Je voudrais voir...

On parle de quoi?

Lis les phrases. On parle de la radio, de la télé ou de la lecture?

1 C'est bien parce qu'on peut faire autre chose en même temps.

2 J'adore le petit écran.

3 Les bonnes émissions sont souvent très tard le soir.

4 Je trouve les romans très captivants.

5 Un avantage c'est qu'il n'y a pas de visage sur la voix.

6 Je pense que la regarder est une perte de temps.

7 Les livres me permettent de m'échapper.

8 J'aime bien être absorbé dans un bouquin.

A toi maintenant: écris encore trois phrases pour exprimer tes opinions sur la télé, la radio et la lecture.

Sens ou non-sens?

1 L'argent, pour moi, ce n'est pas l'essentiel. La famille, les amis, les passe-temps sont beaucoup plus importants. Ça m'énerve quand les gens pensent tout le temps à l'argent. Sans argent on ne peut rien faire.

2 Moi, j'adore la pub. Je trouve qu'elle est très amusante – ce qui n'est pas surprenant: on dépense souvent une fortune pour faire une pub qui ne dure que quinze minutes. Par contre, je ne crois pas que ça m'influence beaucoup. J'achète ce qui me plaît, avec ou sans pub.

3 Je fais toutes mes courses à l'hypermarché. Je trouve que c'est plus pratique. Il y a tout sous un toit et on n'est pas obligé de traîner d'un magasin à l'autre. En fait, je trouve que le rayon boucherie et le rayon fromage offrent un plus grand choix que ceux qu'on trouverait en ville.

La télé en question

On t'a demandé d'organiser un débat télévisé sur le pour et le contre de la télévision. Cherche, puis écris, les arguments pour et les arguments contre. Enregistre-les avec un(e) partenaire.

Futuroscope

Lis la carte postale de Myriam et réponds aux questions ci-dessous.

Poitiers, 20 avril

Salut!

Hier on est arrivé au Futuroscope, le grand parc de l'image près de Poitiers. C'est magnifique! Il y a plein de cinémas différents. On a vu un show laser, un film en trois dimensions et un film interactif, où on choisit son propre scénario! On a vu aussi un film sur un voyage fantastique de l'infiniment petit à l'infiniment grand. Demain on verra un film projeté sur un écran haut comme un immeuble de 7 étages! On reste à l'hôtel Futuroscope. C'est chouette!

Grosses bises, Myriam

1 Où se trouve le Futuroscope?
2 Qu'est-ce que c'est?
3 Combien de films différents a-t-elle vu?
4 Qu'est-ce qui rend l'un des films interactif?
5 Qu'est-ce qu'on avait proposé pour le lendemain?
6 Où est-ce que Myriam logeait pendant son séjour?

Imagine que tu fais part à un copain de la carte postale de Myriam. Ecris ce qu'elle a dit. Trouve les verbes au passé composé et écris-les au plus-que-parfait.

Exemple

On est arrivé au Futuroscope → Elle a dit qu'elle était arrivée au Futuroscope hier.

Records

Complète ces phrases en choisissant un des adjectifs ci-dessous et en le mettant au superlatif. N'oublie pas de les accorder (féminin, pluriel) si nécessaire!

Exemple

New Mexico City est **la plus grande** ville du monde.

1 Tyrannosaure Rex était le dinosaure _____.
2 La Chine a _____ population de tous les pays du monde.
3 La Bible est le livre _____.
4 Le Nil est le fleuve _____.
5 La reine d'Angleterre est la femme _____.
6 Le Pacifique est l'océan _____.
7 Le World Trade Centre est _____ bâtiment du monde.
8 Le jaguar est l'animal _____.
9 Paris est la ville _____ d'Europe.

visité(e)   rapide   grand(e)   long(ue)   haut(e)   féroce   riche   profond(e)   lu(e)

LES COULEURS

Vu et lu

On se sert des couleurs dans beaucoup de situations.
En voici quelques exemples.

Les feux de circulation

arrêt

prudence

libre

Les deux parties de
l'annuaire téléphonique

Sur les autoroutes on utilise le code suivant pour indiquer les conditions de circulation

signification des couleurs

trafic
- bloqué
- difficile
- perturbé
- normal

Sur les plages de l'Atlantique on utilise un système de drapeaux qui indique s'il est possible de se baigner ou non.

aucun danger, baignade autorisée

danger léger, mais baignade autorisée

baignade interdite, car trop dangereuse

baignade interdite, pollution

Et puis, bien sûr, il y a les drapeaux nationaux. En voici douze de pays francophones. Identifie-les au moyen des indices.

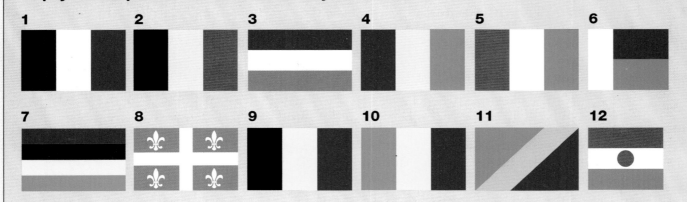

- ✦ Le drapeau de Madagascar est blanc, orange et vert.
- ✦ Celui du Québec n'a que deux couleurs.
- ✦ Le drapeau luxembourgeois a les trois mêmes couleurs que celui de la France.
- ✦ Le drapeau belge ressemble à celui du Tchad, sauf que la bande de gauche est noire et non bleue.

- ✦ Celui de l'Ile Maurice a quatre couleurs.
- ✦ Le drapeau guinéen a les mêmes couleurs que ceux du Mali et du Congo, mais dans celui du Congo le jaune est diagonal et dans celui du Mali le vert est plus clair.
- ✦ Le drapeau de la Côte d'Ivoire a les mêmes couleurs que celui du Niger mais elles sont verticales et non horizontales.

(Réponses à la page 193)

LES COULEURS

Les couleurs, c'est aussi le plaisir, et surtout dans le domaine de l'art. Claude Monet, l'un des peintres les plus célèbres de la fin du dix-neuvième et du début du vingtième siècle, était un maître de la couleur. C'est lui l'inventeur d'une nouvelle manière de peindre: «l'impressionisme».

Monet adorait peindre les effets de la lumière sur l'eau. A l'époque on aimait les dessins précis et les couleurs sombres. «Les couleurs claires de Monet font mal aux yeux» disaient les critiques. Mais Monet ne s'est pas découragé. Il a attendu l'âge de 50 ans pour échapper à la pauvreté.

Régates à Argenteuil, 1872

Les coquelicots à Argenteuil, 1873

Regarde ce tableau de 1873 nommé «*Les coquelicots à Argenteuil*». De près, aucune tache rouge ne ressemble à un coquelicot. Ensemble, elles donnent l'impression d'un champ de coquelicots.

Deux inventions ont permis ce développement dans la peinture. D'abord, l'apparition de la photographie a eu une grande influence sur les peintres. Comme elle reproduisait fidèlement la réalité, les artistes n'avaient plus envie de copier: ils pouvaient s'exprimer!

Et puis depuis 1841, le tube de couleur existe. Sans lui, la peinture de plein air n'est pas possible. Avant, les peintres avaient besoin de plein de pots de peinture et de solvants pour faire leurs mélanges. La chimie moderne a créé aussi de nouvelles teintes, très lumineuses, qui conservent leur éclat.

Claude Monet est né le 14 novembre 1840. Il est mort le 6 décembre 1926.

Tu t'y connais en couleurs?

◆ Qu'est-ce que ça donne si on mélange de la peinture rouge, bleue et jaune?
◆ Et si on mélange de la lumière rouge, bleue et jaune?

(Réponses à la page 193)

Roman photo

A la sortie de l'école.

Le temps

Travaille avec ton/ta partenaire. Choisis une ville. Imagine que tu es là. Ton/ta partenaire doit découvrir où tu es, en te posant des questions sur le temps qu'il faisait hier, qu'il fait aujourd'hui, et qu'il fera demain (selon la météo).

	hier	aujourd'hui	demain
Montréal	❄️	☁️	❄️
Tunis	☁️	☀️	☀️
Grenoble	❄️	❄️	☀️
Pointe-à-Pitre	☀️	🌧️	☁️
Bruxelles	☁️	🌧️	☀️
Dakar	☀️	⛈️	☀️
Lausanne	⛈️	☁️	❄️
Brazzaville	🌧️	⛈️	☁️

Exemple

A – Quel temps fait-il aujourd'hui?
B – Il neige.
A – Et hier quel temps faisait-il?
B – Hier il neigeait.
A – Et demain, selon la météo?
B – Demain il fera beau.
A – Alors tu es à Grenoble.
B – Oui.

Légende

Il	pleut
	pleuvait
	pleuvra

Il	neige
	neigeait
	neigera

Il	fait	beau/du soleil
	faisait	
	fera	

Il y	a	des orages
	avait	
	aura	

Le ciel	est	couvert
	était	
	sera	

Quelle région?

Regarde la carte. Quelle est la bonne prévision pour chaque région? Ecoute la cassette pour vérifier tes réponses.

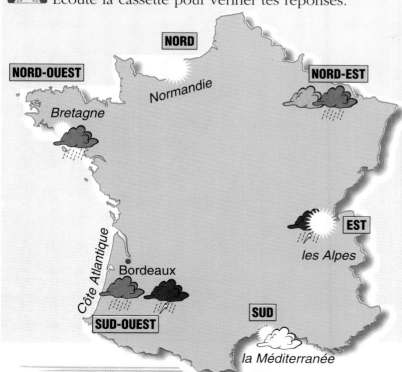

1 Du soleil le matin avec risque d'orages l'après-midi.
2 Temps orageux avec localement de la pluie.
3 Temps nuageux avec des éclaircies.
4 Du beau temps, chaleur et soleil.
5 Le ciel sera couvert avec quelques averses de temps en temps.
6 De la pluie, avec des passages ensoleillés dans l'après-midi.

Rappel

Quel temps	fait-il?
	faisait-il?
	fera-t-il demain?

Que feras-tu probablement pendant les vacances?

Ecoute la cassette. Qui parle?

> On fera probablement du camping.

Adrien

> Nous irons à la mer.

> On ira probablement sur la Côte Atlantique.

> On passera deux semaines à la montagne dans un gîte.

> Nous ferons du vélo dans la Vallée de la Loire.

Amar

Anh

Mélanie

> On restera probablement chez nous.

Juliette

Christian

★ A toi maintenant

Ecris une carte postale à ton/ta correspondant(e). Dis-lui quel temps il fait en ce moment et ce que tu es en train de faire. Dis-lui aussi ce que tu feras pendant les vacances, où tu iras et quand. Demande-lui ce qu'il/elle va faire cet été.

Vivement les vacances!

Imagine que tu es en vacances. Regarde ces panneaux et réponds aux questions qu'on te pose. Puis écoute la cassette pour vérifier tes réponses.

Exemple
– On peut y faire du rafting?
– Oui, bien sûr.

> Qu'est-ce qu'on peut faire comme activités?

> Les toilettes sont occupées?

A

BASE DE LOISIRS DE LA MUSE

HYDRO SPEED
RAFTING
RANDONNEE
AQUATIQUE
CANOE

CANYONING
ESCALADE
SPELEO
RAPPEL GEANT
TYROLIENNE

BUREAUX RAFTING RENSEIGNEMENT

Promo Rafting

65 62 66 79

Nature Evolo

BOISSONS
BAR
GLACEE
AU BORD DE L'EAU

B

LIBRE

entrée 1F

les enfants de moins de 10 ans doivent être accompagnés.

pièces acceptées 50 1

SERVICE 7 à 21

Déblocage monnayeur →

pièces refusées

> Où est-ce qu'on peut acheter des glaces ici?

> Elles acceptent quelles pièces?

C

...ins au départ

	Destination		
14 57	PARIS GARE DE LYON	Retard 15 mn	5050 D
14 57	METZ VILLE	Retard 15 mn	5050 D
15 00	PARIS GARE DE LYON TGV	TGV 1re et 2è CL	624 A
15 00	STRASBOURG LE ROUGET DE LISLE	Retard 15 mn	6677 G
15 06	PARIS GARE DE LYON TGV	Retard 10 mn	844 E
15 07	NANTES		6806 C
15 13	ST ETIENNE TGV REPERES 1 A 8	TGV 1re et 2è CL	702 H
15 15	ST ETIENNE CARNOT	1re et 2è CL	54353 B
15 17	LILLE TGV	TGV 1re et 2è CL	522 F
15 23	CLERMONT FERRAND		5816 C

> Il part de quelle voie, le train de Lille?

> Le train pour Strasbourg, à quelle heure part-il?

> Faut-il aller en ville pour faire les courses?

> Combien a-t-il d'étoiles, ce camping?

D

CAMPING ★ La Blaquière
Alimentation · Jeux · Baignade · Pêche

Qu'est-ce qu'il y a pour un végétarien?

L'aquarium ouvre à quelle heure?

On peut y manger son propre pique-nique?

C'est fermé le dimanche?

Ça va où, le tunnel?

Ça coûte combien l'emplacement, la voiture, deux adultes, un enfant et notre chien?

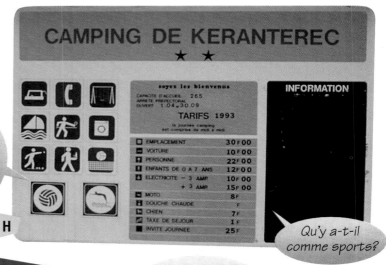

Qu'y a-t-il comme sports?

Le tunnel ferme à quelle heure?

Ça dure combien de temps, la visite?

Où se trouve le musée alors?

Ça fait combien pour deux adultes et trois enfants?

A quelle heure est le prochain départ?

Imagine que toi, tu es en vacances. Sers-toi des photos et invente des dialogues avec ton/ta partenaire.

En vacances

Ecoute la cassette et regarde les photos. Quel dialogue correspond à quelle photo?

Rappel

L'aquarium Le tunnel	ferme ouvre	à quelle heure?

PENSEZ À VOS VACANCES D'ÉTÉ

Vous pensez déjà à vos vacances d'été. Vous voulez passer des vacances de rêve? Partir à la découverte de pays étrangers et lointains? Pratiquer votre sport préféré ou découvrir de nouvelles activités? Passer des vacances entre jeunes? Et vous vous demandez comment faire tout cela. Avez-vous pensé à l'UFCV?

L'UFCV, c'est l'Union Française des Centres de Vacances. Le choix des séjours qui vous est proposé est vaste! Jugez plutôt.

Les activités sportives ne manquent pas: canoë-kayak, voile, tennis, équitation, golf,

escalade, planche à voile, camping, tir à l'arc, base-ball, hockey sur gazon, initiation à la moto, initiation à la plongée sous-marine. Vous pouvez aussi faire des stages de danse, de vidéo, de

photo, de bande dessinée ou de musique électronique.

Vous préférez voyager: partez à la découverte de l'Autriche, l'Italie et la Sicile, l'Angleterre, l'Espagne, la Grèce, la Turquie, le Portugal, le Maroc, la Tunisie, l'Irlande ou la Norvège.

En général, les séjours durent deux à trois semaines. L'UFCV a des correspondants dans toutes les régions de France. Ecrivez ou téléphonez à l'un de nos centres. Vous pouvez aussi avoir des informations par Minitel en tapant: 3615 UFCV.

Bonnes vacances!

Ecris une lettre à un(e) ami(e) pour lui proposer de partir ensemble avec l'UFCV. Explique un peu ce que c'est que l'UFCV. Dis-lui où tu voudrais voyager, pour combien de temps, et ce que tu voudrais faire comme activités.

La Tunisie

La Tunisie était une colonie française. Le pays a acquis son indépendance en 1956. Pendant toute la période de colonisation, la langue française avait une très grande importance et son influence continue toujours.

Il y a trente ans, par exemple, toutes les études étaient en français et aujourd'hui encore, les médecins en général parlent toujours en français.

Aujourd'hui, on apprend le français dès l'âge de huit ans à l'école primaire et on continue au lycée. Maintenant l'arabe est la langue principale de communication mais le français joue toujours un rôle important. A la maison, à l'école et entre amis, les jeunes utilisent beaucoup de mots français.

Aujourd'hui, les serveurs dans les grands restaurants parlent français et, en plus, beaucoup de plats sont français. Mais, dans les restaurants modestes on parle arabe et les plats sont arabes.

On parle aussi français dans presque tous les hôtels mais surtout dans les hôtels de luxe. On fait beaucoup pour attirer les touristes – voir ce père Noël sur un chameau!

Dans les 'souks' (c'est-à-dire les marchés), les marchands parlent en plusieurs langues y compris le français, bien sûr. Dans les grands magasins, c'est normal de trouver les noms des produits en français et en arabe. Les employés à la poste parlent en général le français et l'arabe, comme on veut.

Dans les bureaux, il y a souvent des machines à écrire avec des claviers français et arabes. Mais, sur les ordinateurs c'est presque toujours en français parce que la plupart des ordinateurs sont importés de France.

C'est juste?
Ecris 'vrai' ou 'faux' pour chaque phrase.

1 Dans les années soixante on étudiait en français.
2 On commence à apprendre le français très tôt, à l'école primaire.
3 On dit beaucoup de mots français au lycée. On aime ça, c'est chic.
4 C'est difficile pour un touriste qui ne parle que le français de communiquer dans les hôtels et les restaurants.
5 Normalement, tout est écrit seulement en arabe dans les grands magasins.
6 Il faut parler arabe à la poste.
7 Maintenant, il y a beaucoup d'ordinateurs en arabe.

Schizophrénie linguistique

Ecoute la cassette et suis le poème écrit par un 'Cajun' de Louisiane qui parlait français à la maison et qui était obligé de parler seulement anglais à l'école.

I will not speak French on the school grounds
I will not speak French on the school grounds
I will not speak French
I will not speak French
I will not speak French.

Hey! Ils sont pas bêtes, ces salauds!
Après mille fois ça commence à pénétrer
Dans n'importe quel esprit.
Ça fait mal, ça fait honte,
Puis, là, ça fait plus mal.
Ça devient automatique
Et on speak pas French on the school
grounds and
Ni anywhere else non plus.

Jamais avec des étrangers.
On sait jamais qui a l'autorité
De faire écrire ces sacrées lignes.
A n'importe quel âge.
Surtout pas avec les enfants.
Faut jamais que, eux, ils passent leur temps
de recess
A écrire ces sacrées lignes.
Faut pas qu'ils aient besoin d'écrire ça
Parce qu'il faut pas qu'ils parlent français
du tout.

Ça laisse voir qu'on n'est rien que des Cajuns.
Don't mind us, we're just poor Coonasses,
Basse classe.
Faut cacher ça.
Faut dépasser ça.
Faut parler anglais.
Faut regarder la télévision en anglais.
Faut écouter la radio en anglais
Comme de bons Américains.

Why not just go ahead and learn English?
Don't fight it,
It's much easier, anyway.
No bilingual Bills,
No bilingual publicity.
No danger of internal frontiers.

Enseignez l'anglais aux enfants.
Rendez-les tout le long,
Tout le long
Jusqu'aux discos,
Jusqu'au Million Dollar Man.

On n'a pas réellement besoin de parler français
Quand même,
C'est les Etats-Unis ici,
Land of the Free.

On restera toujours rien que des poor Coonasses.
Coonass, non, non,
Ça gêne pas,
C'est juste un petit nom.
Ça veut rien dire.
C'est pour s'amuser.
Ça gêne pas.
On aime ça.
Que c'est cute.
Ça nous fait pas fâcher,
Ça nous fait rire.

Mais quand on doit rire,
C'est en quelle langue qu'on rit?
Et pour pleurer?
C'est en quelle langue qu'on pleure?
Et pour crier?
Et chanter?
Et aimer?
Et vraiment vivre?

Jean Arceneaux

Le français en danger

Les québécois sont fiers de parler français et ils sont conscients du danger de l'influence forte de l'anglais canadien et américain. Donc, ils refusent souvent d'utiliser les mots d'origine anglaise – le franglais.

En France, par contre, les jeunes aiment adopter des mots d'anglais, qui leur semblent 'branchés' (par exemple, cool, 'bye, shoes …).

De leur côté, des personnalités du monde politique et culturel essaient de limiter cette tendance.

Voici des mots en 'franglais'. Trouve les équivalents québécois.

franglais	québécois
week-end	survêtement
stop	chien chaud
goal	fin de semaine
match	stationnement
shopping	arrêt
hot dog	jeu
parking	gardien de but
chewing gum	magasinage
jogging	gomme à mâcher

Un chasseur sachant chasser

 Ecoute la cassette puis essaie de répéter!

Je ne comprends pas.

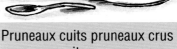

1 Un chasseur sachant chasser doit savoir chasser sans son chien.

Un peu plus lentement s'il vous plaît.

2 Les chaussettes de l'archiduchesse sont sèches … archisèches.

Plus doucement, s'il vous plaît.

3 Saucisses sèches saucissons chauds.

C'est quoi 'cuits' en anglais?

4 Pruneaux cuits pruneaux crus pruneaux cuits pruneaux crus

Pouvez-vous expliquer ça, s'il vous plaît?

5 Si six scies scient six cigares
Six cents scies scient six cents cigares.

Rappel

Pouvez-vous	parler	plus	lentement? doucement?
		moins	vite?
	expliquer répéter	ça?	

Comment vois-tu ton avenir?

Nacima
Sousse, Tunisie

«Normalement je passerai mon bac ici en Tunisie et puis j'irai à la Fac. Je séjournerai probablement à l'étranger, un certain temps, pour perfectionner mon anglais et pour devenir vraiment trilingue. Mais après, j'aimerais quand même travailler dans mon pays.»

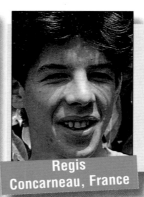

Regis
Concarneau, France

«Honnêtement, dans l'immédiat, je ne pense qu'aux vacances. Deux mois sans devoirs, le grand beau temps et la possibilité de faire la grasse matinée quand je veux. Après? Bon, j'aurai le temps d'y penser plus tard.»

Emmeline
Valence, France

«L'année prochaine je commencerai un bac scientifique. J'en aurai pour deux ans. Après ça, j'irai presque certainement à la Fac. Je ne sais pas encore exactement ce que je ferai comme études, mais j'aimerais travailler dans la recherche.»

Reto
Echallens, Suisse

«Là, actuellement, je fais une formation agricole car un jour j'hériterai de la ferme familiale. Mon père est agriculteur ainsi que mon grand-père. J'aimerais ne pas partir de chez moi, et j'espère qu'un jour un de mes enfants prendra la suite.»

Jonathan
Nîmes, France

«Avant, je pensais travailler dans les affaires. Mais récemment j'ai fait un stage dans un bureau et ça ne m'a pas tellement passioné. Je viens aussi de rompre avec ma petite amie, alors en ce moment, tout est à revoir!»

Qui ...?

1 Qui pense aller à l'université?
2 Qui a changé d'avis dernièrement? Pourquoi?
3 Qui va suivre le même métier que ses parents?
4 Qui en a marre déjà des études?

Et toi? Qu'est-ce que tu comptes faire dans les années à venir? Comment vois-tu ton avenir?

LE PAYS
DU MONT BLANC
VOUS SOUHAITE
BONNE ROUTE

🏠 A faire chez toi

Prépare une réponse à ces questions, par oral ou par écrit.

Quel temps fait-il chez vous?

Qu'est-ce que tu feras ce week-end, s'il fait beau? Et sinon?

Tu apprends le français maintenant depuis combien de temps?

Quelle est la chose la plus difficile en français, à ton avis?

Pas vrai!

Le jazz

La Louisiane est un des cinquante états des Etats-Unis. Elle se trouve dans le sud où elle borde le golfe du Mexique. Beaucoup de villes ont des noms français. La capitale s'appelle Bâton Rouge, par exemple.

Dans le sud-ouest de l'état, il y a une région qui s'appelle l'Acadie où il y a des gens qui parlent toujours français. Les Français ont émigré d'abord de la France au Canada et ensuite du Canada à la Louisiane au milieu du dix-huitième siècle. Ces gens sont les Cajuns.

Aujourd'hui on entend et on voit cette influence française.

Quelques rues sont indiquées en français.

On voit le français sur des panneaux quelquefois.

La ville principale, celle qui a le plus de charme, est New Orleans, 'La Nouvelle-Orléans'. Là, des musiciens noirs ont créé une musique très rythmée, le jazz. Avec un trombone, des trompettes, des clarinettes, une guitare et une batterie, ils en jouent à toutes les cérémonies, aux fêtes et même aux enterrements. Aujourd'hui, le jazz a des amateurs dans le monde entier.

Il n'a jamais appris le solfège, comme beaucoup de jazzmen noirs. Mais, avec sa trompette, il est capable d'improviser, d'accompagner d'autres musiciens, d'instinct, à l'oreille, sans lire une note!

Nombres

1 Quel est le premier nombre dans le dictionnaire?
2 Quel est le dernier nombre dans le dictionnaire?
3 Quel est le nombre entre 6 et 16 dans le dictionnaire?
4 Combien de nombres sont entre 13 et 20 dans le dictionnaire?
5 Quel est le nombre *non-composé* qui a le plus de lettres?

(Solution à la page 193)

Ça compte toujours!

En Suisse, en Belgique et au Québec, on utilise toujours l'ancienne forme de quelques nombres: lesquels?

septante = ?
octante = ?
nonante = ?

C'est facile pour les anglophones – tu ne trouves pas?

(Solution à la page 193)

Blague

Un père à son fils:

– Qu'est-ce que ça te fait penser quand tu vois flotter le drapeau français?

– Qu'il fait du vent.

Station service

The weather (in three tenses)

Quel temps	fait-il?	What's the weather like?	**181**
	faisait-il?	What was the weather like?	**184**
	fera-t-il demain?	What will the weather be like tomorrow?	**185–6**

Il	pleut.	It's raining.
	pleuvait.	It was raining.
	pleuvra.	It will rain.

Il	neige.	It's snowing.
	neigeait.	It was snowing.
	neigera.	It will snow.

Il	fait	froid.	It's cold.
	faisait		It was cold.
	fera		It will be cold.

Il y	a	des orages.	It's stormy.
	avait		It was stormy.
	aura		It will be stormy.

The future tense

| Que | feras-tu | pendant les vacances? | What will you do in the holidays? | **185–6** |

On	fera	du camping.	We shall go camping.
	passera	deux semaines à la montagne.	We shall spend two weeks in the mountains.
	restera	chez nous.	We shall stay at home.

| Nous | ferons | du vélo. | We shall go cycling. |
| | irons | au bord de la mer. | We shall go to the seaside. |

Adverbs

| Je l'ai | pratiquement | fini. | I've almost finished it. | **181** |

| On ira | probablement | à la mer. | We'll probably go to the sea. |

| Un peu plus | lentement | s'il vous plaît. | A bit slower please. |

| Plus | doucement, | s'il vous plaît. | Slower please. |

| Normalement, | tout est écrit en français et en arabe. | Normally everything is written in French and Arabic. |

| Heureusement | que ce n'est pas trop calme. | Fortunately it's not too quiet. |

| Vivement | les vacances! | I can't wait for the holidays! |

Val David

Regarde ce panneau d'un village québécois.
Puis regarde la liste ci-dessous et recopie les activités
qu'on peut faire à Val David.

Exemple

On peut faire du ski.

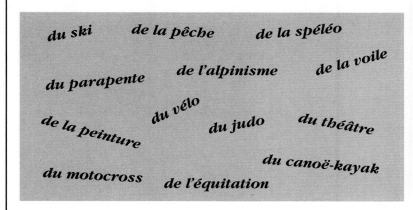

du ski   de la pêche   de la spéléo

du parapente   de l'alpinisme   de la voile

de la peinture   du vélo   du judo   du théâtre

du canoë-kayak

du motocross   de l'équitation

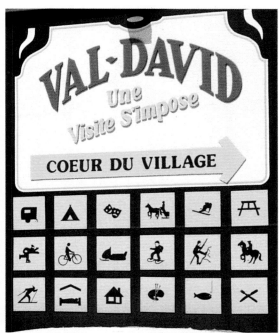

Lettre au Québec

Ecris une lettre à ton/ta correspondant(e) au Québec.
Parle des émissions de télé que tu préfères et pourquoi.

le 25 mai

Salut Yann,

Tu m'as bien demandé dans ta
dernière lettre de te parler de ta télé
ici. Alors, moi, j'adore ....
C'est un jeu télévisé. C'est très drôle.
J'aime aussi .... C'est un
magazine sur .... Je trouve ça
super. Je regarde aussi quelquefois
les documentaires ou le sport. Mais
mon émission préférée c'est ....

les films

les dessins animés

les émissions sur la nature

les actualités

les variétés

Combien de langues?

On parle quelles langues dans quels pays? C'est vrai ou faux?

1 En Suisse on parle français, allemand et italien.

2 En Tunisie on parle français et anglais.

3 Au Luxembourg on parle français et allemand.

4 En Belgique on parle flamand et allemand.

5 Au Canada on parle anglais et français.

Quel temps!

Complète les phrases en proposant une activité appropriée.

1 Par un temps ensoleillé avec un bon vent, on peut …
2 Par un temps orageux, je préfère …
3 Par un temps ensoleillé et chaud, j'aime …
4 Par un temps brumeux, c'est mieux de voyager en … et pas en …
5 Par un temps ensoleillé mais froid avec de la neige, on peut …
6 Par un beau temps et pas trop frais, c'est bien de …

Qu'est-ce qui ne va pas?

Recopie la phrase qui ne va pas dans ces quatre textes.

J'adore la lecture. Je déteste tout à la télé et même les jeux vidéo. Je ne lis jamais. Je fais des économies pour acheter des livres.

Samedi je voulais jouer au tennis. Il faisait du soleil, alors je n'ai pas pu jouer. Puis, dans l'après-midi, il a commencé à pleuvoir, alors j'ai décidé de regarder la télé.

Hier soir il faisait très chaud et on a décidé de faire une promenade à la campagne. Une fois j'ai glissé sur la neige et je suis tombé. Heureusement je ne me suis pas fait mal du tout.

Je n'aime pas l'influence de l'anglais sur notre langue. Moi, je n'utilise jamais des mots anglais quand je parle français. Mais les teenagers que j'ai rencontrés au camping l'été dernier, ils s'en servaient tout le temps.

Prévisions de météo

Regarde les écrans et réponds aux questions.

1 Quelle température fera-t-il à Paris?
2 Quelle sera la température maximale à Abitibi demain?
3 Dans quelle partie de la France fera-t-il le moins chaud demain?
4 Quelle température fera-t-il en Corse?
5 Quelle sera la température maximale en France?
6 Où fera-t-il le moins froid au Québec demain?
7 Quelle sera la température minimale à Témiscamingue?
8 La météo française est pour quelle saison?

La France météorologique

Regarde la carte et écris les prévisions météorologiques pour chaque région de la France.

20 mai, 13.00 heures

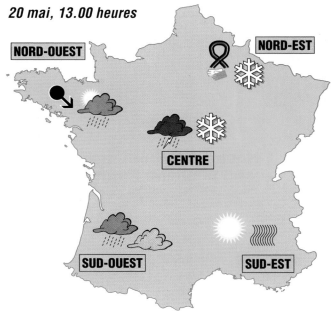

NORD-OUEST   NORD-EST

CENTRE

SUD-OUEST   SUD-EST

Exemple

Demain dans le nord-est de la France, il fera très froid. Il neigera le soir.

Tout simplement

Ajoutez ces cinq adverbes au texte, en faisant attention de les mettre au bon endroit.

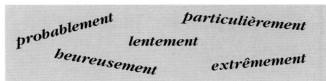

probablement   particulièrement
lentement
heureusement   extrêmement

La semaine dernière on a décidé de faire une randonnée à la montagne. David avait dit qu'il allait pleuvoir, mais on y est allé quand même. On a choisi un sentier marqué 'difficile' mais en fait ce n'était pas difficile. Le problème, c'est qu'il faisait chaud. A un moment, comme on montait une côte très raide, le ciel s'est couvert. - Vous voyez, a dit David, j'avais raison. Mais il n'a pas plu.

Autrement dit

Trouve les synonymes.

Exemple

une auto = une voiture

immédiatement   la majorité
voyage   se souvenir
l'école   vite   se rappeler
ensuite   une bête   tout de suite
une voiture   les informations
tous   super   les actualités
une livre   tout le monde   difficile
dur   un fax   trajet
une télécopie   un animal
rapidement   un demi-kilo   une auto
le bahut   la plupart
puis   génial

Casse-tête

Huit personnes vont au restaurant à midi. Il y a un prof, une infirmière, un médecin, un agent de police, un acteur, une actrice, une institutrice et une secrétaire.

Le garçon les met tous à une grande table. Lis les cinq indices suivants et découvre où chacun est placé.

- Le médecin et l'infirmière ne sont pas du même côté que l'agent de police.
- L'agent de police, placé entre le professeur et l'actrice, fait face à l'institutrice.
- Chaque femme est en face d'un homme.
- L'actrice est à la droite de l'acteur.
- L'infirmière n'est pas à côté du médecin.

Part 1 Nouns

Nouns are names we give to people, places or things. Words like 'sister', 'school' and 'car' are all nouns.

There are two groups of nouns in French: masculine and feminine.

For most nouns, there is no easy way to tell whether they are masculine or feminine. You simply have to remember. However, some endings do give you a clue.

All nouns ending in **-eau** are masculine:

> le gâteau   le bateau

(but not the word **eau** itself, which is feminine).

All nouns of more than one syllable ending in **-age** are masculine (**plage** and **image** are feminine):

> le ménage   le visage

All nouns ending in **-ment** are masculine:

> l'appartement   les vêtements

All nouns ending in **-ion** are feminine:

> la natation   l'équitation

Singular

A singular noun is used when we are talking about one person, place or thing.

Plural

A plural noun is used when we are talking about more than one person, place or thing.

To make a noun plural in French you usually add an **-s**, as in English. But in French the **-s** is not normally pronounced.

singular	plural
maison	maisons
ami	amis

Nouns ending in **-s**, **-x** or **-z** remain unchanged in the plural:

singular	plural
fois	fois
voix	voix
nez	nez

Nouns ending in **-eu** and **-eau** add **-x** in the plural:

singular	plural
jeu	jeux
bateau	bateaux

The ending **-al** usually changes to **-aux** in the plural:

singular	plural
animal	animaux
cheval	chevaux

Part 2 Nouns with both masculine and feminine forms

Certain nouns (mainly names for jobs) have both a masculine and a feminine form:

masculine	feminine
copain	copine
acteur	actrice
chanteur	chanteuse
infirmier	infirmière
technicien	technicienne
chat	chatte
chien	chienne

Part 3 The definite article

How to say 'the' in French. There are four ways:

le for masculine nouns

le	livre
	restaurant

la for feminine nouns

la	mer
	maison

l' for feminine and masculine nouns beginning with a vowel or 'h'

l'	été
	heure

les for all nouns in the plural

les	enfants
	vacances

Making generalisations

When generalising about something, use the definite article:

> Je n'aime pas les gâteaux. (i.e. cakes in general)
> Tu aimes la musique classique?
> Je voudrais travailler avec les animaux.

Part 4 The indefinite article

How to say 'a' or 'an' in French. There are two ways:

un for a masculine noun

un	vélo
	copain

une for a feminine noun

une	promenade
	voiture

Note that when talking about someone's job, you do not use an indefinite article in French:

| Je suis secrétaire. |
| Mon père est médecin. |
| Je voudrais être ingénieur. |

Part 5 The partitive article

How to say 'some' or 'any' in French.
For singular nouns there are three ways:

du for masculine nouns

Encore du	café?
	lait?

de la for feminine nouns

Tu veux de la	confiture?
	soupe?

de l' for masculine or feminine nouns beginning with a vowel or 'h'

Tu voudrais de l'	eau?
	argent?

For plural nouns there is only one way:

des for all nouns

| Tu as des frères et des sœurs? |
| Elle porte des baskets bleues. |

After **ne...pas** or **ne...jamais**, use **de** with both singular and plural nouns:

| Je ne reçois pas d'argent de poche. |
| Il n'y a pas de melons. |

Part 6 Quantities

How to say a container (eg a tin) or a weight (eg a kilo) of something.

In French you use a container/weight + **de** (**d'** for nouns beginning with a vowel or an 'h') + noun.

un bol		chocolat
un kilo		tomates
une boîte	de	petits pois
100 grammes		saucisson
six tranches		jambon
une bouteille	d'	eau minérale
une douzaine		œufs

beaucoup de/d' = a lot, many

beaucoup de	choses à faire
beaucoup d'	amis

plein de/d' = lots of

Il y a	plein d'	activités pour les jeunes.

trop + adjective = too

C'est		loin.
Je suis	trop	fatigué(e).
Il fait		chaud.

trop de/d' + plural noun = too many

J'ai	trop de	problèmes.
Il y a		voitures.

trop de/d' + singular noun = too much

J'ai	trop de	travail.

trop + verb = too much

J'ai	trop	mangé.

tant de/d' + noun = so much, so many

Il y avait	tant de	choses à faire.

(pas) assez de/d'= (not) enough

Tu as	assez	d'argent?
On n'a pas		de temps libre.

il manque des + plural noun = there is a shortage or lack of

Il manque des	associations sportives.

plus de/d' + noun = more

Il y a	plus de	films à la télé chez nous.

Part 7 Pronouns

Pronouns are used to save time when you are speaking or writing. For example, instead of repeating the name 'Robert' when you've already mentioned him, you can use **il**:

> Mon copain s'appelle Robert. <u>Il</u> habite à la Guadeloupe. <u>Il</u> a deux sœurs et un frère.

Il is a personal pronoun because it replaces a person. You have already met many others: **je, tu, elle, nous, vous, ils** and **elles**.

Direct object pronouns: 'le', 'la', 'l'' and 'les'

These also save time when you need to say 'him', 'her', 'it' or 'they'.

> Mon copain Robert habite à la Guadeloupe.
> Je <u>le</u> vois pendant les vacances.

My friend Robert lives in Guadeloupe. I see *him* in the holidays.

> La glace? Ah oui, je <u>l'</u>adore.

Ice cream? Yes, I love *it*.

> Je <u>les</u> payais 100F chacun.

I paid *them* 100 francs each.

Indirect object pronouns: 'me', 'te', 'lui', 'nous', 'vous' and 'leur'

Similar to direct object pronouns above, these are used when you are talking about doing something *for*, or sending or giving something *to* someone.

> Tu <u>lui</u> achètes un cadeau?

Are you buying a present *for him/her?*

> Je <u>leur</u> envoie une carte postale.

I'm sending *(to) them* a postcard.

> Tu <u>m'</u>as menti.

You lied *to me.*

En

En means 'some' or 'of them'. It *has to* be used when you end a phrase with a number or an expression of quantity in French:

Mes parents m'en donnent.	My parents give me some.
J'en ai beaucoup.	I've got lots (of them).
J'en prends deux.	I'll have two (of them).

Note also the following meaning:

> J'en ai parlé à mes parents.
> I talked to my parents about it.

Y

Y means 'there'. It is often used with the verb **aller**:

Nous y sommes allés en car.	We went by coach.
On y va?	Shall we go (there)?
Allons-y!	Let's go!

Note also the following meaning:

Je vais y penser.	I'll think about it.

The position of object pronouns

As the above examples show, object pronouns are placed *before* the verb.

This also applies to negative imperatives:

> Ne le prends pas au sérieux.
> Ne me demande pas.

When used with positive imperatives, however, the pronoun comes *after* the verb and is joined to it by a hyphen:

> Dis-lui de passer à la clinique.
> Mets-le sur la table.

In this position, **me** and **te** become **moi** and **toi**:

> Ecris-<u>moi</u> une lettre.
> Sers-<u>toi</u>.

Saying who something belongs to

Use **de** + the name of the person:

le frère de Sophie	Sophie's brother
le chat du voisin	the neighbour's cat

It's mine.	C'est à moi.
It's yours.	C'est à toi.
It's his.	C'est à lui.
It's hers.	C'est à elle.

Note also the following special meaning:

C'est à moi?	Is it my go?
Oui, c'est à toi.	Yes, it's your go.

Relative pronouns: 'who' or 'which'

Use **qui** if the word is immediately followed by the verb:

> C'est la pollution <u>qui</u> menace l'environnement.
> Je déteste les immeubles <u>qui</u> sont des blocs de béton.

Use **que** or **qu'** if there is another noun or pronoun before the verb:

> Il y a quelque chose <u>que</u> je ne comprends pas.
> C'est la forêt tropicale <u>qu'</u>on détruit.

Here, **je** and **on** come before the next verb, so **que** is used.

What

When the word 'what' is not part of a question, use the phrase **ce qui** or **ce que**.

If the verb follows immediately, use **ce qui**:

> <u>Ce qui</u> est bien, c'est qu'il y a beaucoup à faire.
> Dis-moi <u>ce qui</u> t'inquiète.

If there is another noun or pronoun before the verb, use **ce que** (or **ce qu'** before a vowel):

> <u>Ce que</u> je n'aime pas, c'est qu'il fait souvent froid.
> C'est affreux <u>ce qu'</u>on fait aux animaux.

Here, **je** and **on** come before the next verb, so **ce que** is used.

Part 8 Adjectives

Adjectives are words which describe someone or something:

She's *tall*.
He's *French*.

Most adjectives have a different masculine and feminine form. Usually, the feminine form is slightly longer and the ending is pronounced.

The most common pattern of adjective ending is as follows:

masculine singular -	le petit village
feminine singular -**e**	la petit<u>e</u> ville
masculine plural -**s**	les petit<u>s</u> villages
feminine plural -**es**	les petit<u>es</u> villes

Adjectives already ending in **-e** do not add an extra **-e** in the feminine:

masculine	feminine
un appartement moderne	une maison moderne

Adjectives ending in **-eux** in the masculine singular follow this pattern:

masculine singular	le gâteau délici<u>eux</u>
feminine singular	la tarte délici<u>euse</u>
masculine plural	les gâteaux délici<u>eux</u>
feminine plural	les tartes délici<u>euses</u>

Irregular forms

The following adjectives have irregular masculine and feminine forms:

masculine	feminine
beau	belle
blanc	blanche
long	longue
nouveau	nouvelle
vieux	vieille

The position of adjectives

Most adjectives go after the noun they describe:

le film français
la jupe blanche

The following adjectives go in front of the noun they describe:

beau	joli		la jeune fille
bon	mauvais		la grande maison
gentil	petit		le petit garçon
grand	premier		le premier prix
jeune	vieux		le bon vieux temps

Comparative adjectives

When you want to compare two people, places or things, use **plus** + adjective + **que**.

Il est	plus jeune que	moi.
La campagne est	plus tranquille que	la ville.
Les vidéos sont	plus populaires que	les livres.

Superlatives ('the biggest, the oldest, the highest' etc.)

Use **le/la/les** + **plus** + adjective. The adjective has to agree (masculine or feminine, singular or plural) with the noun or pronoun it is describing.

> le film <u>le plus long</u> du monde
> la course cycliste <u>la plus célèbre</u> du monde
> les animaux <u>les plus menacés</u>
> les vacances <u>les plus heureuses</u>

If you are using an adjective that usually goes *before* the noun, it does the same in the superlative.

> le plus grand cinéma du monde
> la plus grande usine

> Note: **meilleur** = 'better', 'best'
> **Il a un meilleur vélo que moi.**
> **Elles a toujours les meilleures notes.**

Possessive adjectives

How to say 'my', 'your', 'his', 'her', 'our' and 'their'.

	singular		plural
	masculine noun or feminine noun beginning with a vowel or an 'h'	feminine noun	
my	mon	ma	mes
your	ton	ta	tes
his/her/its	son	sa	ses
our	notre	notre	nos
your	votre	votre	vos
their	leur	leur	leurs

Examples:

mon ami	ma sœur	mes copains
ton vélo	ta chambre	tes vêtements
son oncle	sa tante	ses cousins
notre monde	notre planète	nos enfants
votre nom	votre adresse	vos papiers
leur père	leur mère	leurs parents

> Note: **son**, **sa** and **ses** can all mean 'his', 'her' or 'its'. The French language does not have separate words for 'his' and 'her'.
>
> **son ami** could mean 'his friend' or 'her friend'
> **sa chambre** could mean 'his bedroom' or 'her bedroom'

Note that when talking about parts of the body, possessive adjectives are not used in French:

| J'ai mal à <u>la</u> jambe. | My leg hurts. |
| Il s'est cassé <u>le</u> bras. | He broke his arm. |

Demonstrative adjectives

You use demonstrative adjectives to say 'this', 'that', 'these' or 'those'.

Use **ce** for masculine, singular nouns

ce	livre
	garçon

Use **cet** for masculine singular nouns beginning with a vowel or an 'h'

cet	homme
	argent

Use **cette** for feminine, singular nouns

cette	maison
	fille

Use **ces** for all plural nouns

ces	jeunes
	couleurs

'This one', 'that one', 'these' and 'those'

	masculine	feminine
this one	celui-ci	celle-ci
that one	celui-là	celle-là
these	ceux-ci	celles-ci
those	ceux-là	celles-là

> C'est combien, ce jean?
> Celui-ci, c'est à 350 francs.
> Comment tu trouves les chaussures?
> J'aime bien celles-là.

Part 9 Adverbs

Most adverbs in English end in **-ly**:

> slowly   probably   normally

In French they end in **-ment**:

| lentement | doucement | normalement |

To form an adverb, you usually add **-ment** to the *feminine singular* form of the *adjective*:

masculine	feminine	adverb
normal	normale	normalement
heureux	heureuse	heureusement

If the adjective already ends in a vowel, just add **-ment**:

| vrai → vraiment |
| probable → probablement |

Part 10 Verbs

In English, verbs can have a number of different endings. For example:

| I play |
| he plays |
| you played |

In French as in English there are two things that affect the form and ending of a verb:

1 the person we're talking about (I, he, you etc.)
2 the 'tense' or time when the action happened, is happening or is going to happen.

Not all verbs change in exactly the same way. There are three groups of verbs in French:

1 those whose infinitive ends in **-er**, for example **regarder**
2 those whose infinitive ends in **-ir**, for example **finir**
3 all the rest.

To know what endings to use on a particular verb, you need to know which group it belongs to.

The present tense

In English the present tense takes two forms:
I listen to the radio.
I am listening to the radio.

In French there is only one form:

| J'écoute la radio. |

This means that, for example, **Elle joue au tennis** has two possible meanings:
She plays tennis or *She is playing* tennis.
It is up to you to decide which is the right one for the situation.

Group 1 verbs: -er

Most verbs follow this pattern. Their infinitive ends in **-er**, for example **regarder**.

Je	regarde	
Tu	regardes	(the -s is not pronounced)
Il		
Elle	regarde	
On		
Nous	regardons	(the -s is not pronounced)
Vous	regardez	
Ils		
Elles	regardent	(the -ent is not pronounced)

Group 2 verbs: -ir

The infinitive of Group 2 verbs ends in **-ir**, for example **finir**. Here is the pattern they follow:

Je	finis	(the -s is not pronounced)
Tu	finis	(the -s is not pronounced)
Il		
Elle	finit	(the -t is not pronounced)
On		
Nous	finissons	(the -s is not pronounced)
Vous	finissez	
Ils		
Elles	finissent	(the -ent is not pronounced)

Group 3 verbs

These do not follow a simple pattern but they tend to have certain things in common:
After **je** the ending is often **-s**, though the **-s** is not pronounced:

	prends	le bus.
	fais	de l'équitation.
Je	reçois	de l'argent de poche.
	suis	britannique.
	viens	au collège à pied.

One or two end in **-x**:

| Je | veux | acheter un cadeau. |
| | peux | téléphoner? |

After **tu**, as well, most Group 3 verbs end in **-s**:

Tu	prends	le bus.
	fais	de l'équitation.
	reçois	de l'argent de poche?

One or two end in **-x**:

Tu	veux	acheter un cadeau?
	peux	venir?

After **il**, **elle** and **on**, most Group 3 verbs end in **-t**:

Il	reçoit	de l'argent de poche.
Elle	veut	acheter un cadeau.
On	fait	de l'équitation.

A few end in **-d**:

On	prend	le bus.

After **nous**, virtually all Group 3 verbs end in **-ons**:

Nous	prenons	le bus.
	voulons	acheter un cadeau.
	faisons	de l'équitation.

But note:

Nous	sommes	en France.

After **vous**, virtually all Group 3 verbs end in **-ez**:

Vous	prenez	le bus.
	voulez	acheter un cadeau?

But note:

Vous <u>faites</u> de l'équitation?
Qu'est-ce que vous <u>dites</u>?
Vous <u>êtes</u> sûr?

After **ils** and **elles**, most Group 3 verbs end in **-ent**:

Ils	prennent	le car.
Elles	veulent	acheter un cadeau.

A few end in **-ont**:

Ils	font	partie d'un club.
Elles	vont	en Suisse.

The most important Group 3 verbs you have met so far are listed in full on pages 186–188.

Reflexive verbs

Do you remember the first verb you learnt in French?

Je m'appelle Nadine.
Tu t'appelles comment?

Verbs like this, with an extra pronoun before them, are called reflexive verbs. They are always listed in vocabularies and dictionaries as follows:

s'amuser to have a good time
se coucher to go to bed
se lever to get up

But **se** is only used with the **il**, **elle**, **on**, **ils** and **elles** parts of the verb. Look at these examples:

Je <u>me</u> lève à 7 heures.
Je <u>m'</u>ennuie facilement.
Tu <u>t'</u>amuses bien?
Il <u>s'</u>appelle Yann.
On <u>s'</u>entend très bien.
Nous <u>nous</u> disputons.
Vous <u>vous</u> entendez bien?
Elles <u>se</u> couchent vers 10 heures.

Saying or asking whether people LIKE doing something

Use **aimer** + infinitive:

J'aime	être à la mode.
Tu aimes	faire du sport?
Ils aiment	lire.

Saying or asking whether people WANT to do something

Use **vouloir** + infinitive:

Je veux	aller à la piscine.
Tu veux	rester à la maison?
Ils veulent	aller en ville.

Saying or asking whether people CAN/MAY do something

Use **pouvoir** + infinitive:

Je peux	téléphoner?
Tu peux	m'aider?
On peut	faire du vélo.

Saying or asking whether people HAVE TO do something

Use **devoir** + infinitive:

Je dois	faire les courses.
Il doit	aller en ville.
Nous devons	rester à la maison.

Alternatively use **Il faut** followed directly by an infinitive:

| Il faut payer. | You have to pay. |
| Il ne faut pas fumer. | You mustn't smoke. |

Verbs followed by 'de' + infinitive

décider de	to decide to
essayer de	to try to
refuser de	to refuse to
risquer de	to stand a chance of
permettre de	to allow to
proposer de	to suggest …ing
avoir envie de	to want to/feel like
avoir besoin de	to need to
avoir le droit de	to be allowed to
être interdit/défendu de	to be forbidden to

| J'ai essayé de téléphoner. |
| On a décidé de jouer au tennis. |
| Il est interdit de fumer. |

Verbs followed by 'à' + infinitive

commencer à	to start/begin to
apprendre à	to learn to
arriver à	to manage to

| J'ai commencé à faire de l'escrime. |
| Je n'arrive pas à me concentrer. |

The present participle

The present participle is the English 'work*ing*', 'eat*ing*', 'leav*ing*' etc. In French it ends in **-ant** (this ending is added to the stem of the **nous** part of the present tense:

| travailler → nous travaillons → travaill*ant* |
| finir → nous finissons → finiss*ant* |
| faire → nous faisons → fais*ant* |

It is commonly used together with the word **en**:

| <u>en</u> rentr<u>ant</u> | on getting home |
| <u>en</u> sort<u>ant</u> de l'école | coming out of school |

It often conveys the meaning 'by/while doing something':

| <u>en</u> pass<u>ant</u> un test | by taking a test |
| <u>en</u> attend<u>ant</u> l'ambulance | while waiting for the ambulance |

Talking about the past

You have met three past tenses in French.

They are called the perfect, the imperfect and the pluperfect.

The perfect tense

You use this when you want to say or ask what someone did or has done.

The perfect tense with 'avoir'

The perfect tense is made up of two parts. Most verbs have part of the verb **avoir** + a *past participle*, for example **regardé, pris, mangé**.

1 (**avoir**)	2 (past participle)	
J'ai	regardé	la télé.
Tu as	mangé	du pain.
Il/Elle a	acheté	des vêtements.
Nous avons	reçu	une invitation.
Vous avez	fini	le travail?
Ils/Elles ont	pris	le train.

The past participles of Group 1 (**-er**) verbs end in **-é**. The past participles of Group 2 (**-ir**) verbs end in **-i**. Those of Group 3 verbs are more unpredictable, though many end in **-u**, **-s** or **-t**. You will need to learn each one as you meet it. For a full list, see pages 186–188.

Look at these examples of the perfect tense:

Group 1 (**-er**) verbs

| J'ai rencontré mon cousin. |
| Tu as passé de bonnes vacances? |
| On a visité les sites. |

Group 2 (**-ir**) verbs

| Tu as fini tes devoirs? |
| J'ai choisi. |
| La pollution a sali les bâtiments. |

Group 3 verbs

| J'ai pris le train. |
| Qu'est-ce que tu as vu? |
| On a fait une promenade. |

The perfect tense with 'être'

Some verbs use part of the verb **être** instead of **avoir** to form the perfect tense. You will need to learn which verbs do this. Most of them can be remembered as pairs of opposites:

aller	venir	arriver	partir
sortir	entrer/rentrer	monter	descendre
naître	mourir		

	rester	
	retourner	
	tomber	

Look at these examples:

> Je suis parti en vacances.
> Tu es arrivé à quelle heure?
> Elle est tombée dans l'eau.
> Il est venu à vélo.
> On est allé au stade.
> Nous sommes entrés dans le café.
> Vous êtes sortis ensemble?
> Ils sont restés à la maison.
> Elles sont restées en France.

Notice the extra letters on some of the past participles. This is because they agree with the subject of the verb, for example **elle**, **ils** and **elles**.

The rule for these verbs is:

Add **-e** when referring to someone who is female.
-s when referring to more than one male (or a group of people including one or more males).
-es when referring to more than one female.

You also add **-e** whenever the **je** or **tu** refers to a female:

> Sophie a dit, 'Je suis arrivée à 9h.' Tu es partie à quelle heure, Sophie?

Summary of Group 3 past participles

Infinitive	meaning	past participle
aller	to go	allé
avoir	to have	eu
boire	to drink	bu
dire	to say, tell	dit
écrire	to write	écrit
être	to be	été
faire	to do, make	fait
lire	to read	lu
mettre	to put, put on	mis
partir	to go away, leave	parti
pouvoir	to be able to, 'can'	pu
prendre	to take	pris
recevoir	to receive, get	reçu
venir	to come	venu
voir	to see	vu
vouloir	to want	voulu

Reflexive verbs

All reflexive verbs (see page 182) form the perfect tense with **être** too:

> Je me suis bien amusé(e).
> Tu t'es levé(e) déjà?
> On s'est baigné dans le lac.
> Nous nous sommes couché(e)s tard.
> Ils se sont disputés.

The imperfect tense

This is another way of talking about the past. It is used to talk about things that happened *often* or *regularly* in the past:

> Tous les jours je jouais au tennis.
> Pendant les vacances je faisais des randonnées.
> Je m'amusais tout seul.
> Le matin on travaillait dans le jardin.
> Il pleuvait tous les jours.

It is also used to say what someone or something *was* like:

> Ce n'était pas facile.
> Il faisait chaud.
> Il y avait un grand jardin.

The imperfect tense endings are:

Je	-ais
Tu	-ais
Il/Elle/On	-ait
Nous	-ions
Vous	-iez
Ils/Elles	-aient

To work out what to join these endings on to, take the **nous** part of the present tense of the verb and remove the **-ons**. For example:

verb	(present tense)	(imperfect)
aller	nous allons	j'allais
faire	nous faisons	je faisais
voir	nous voyons	je voyais

Deciding whether to use the perfect or the imperfect tense

This is one of the trickiest things in French grammar. Here is a general rule:

Use the perfect tense if:
you are talking about one particular occasion or event that has taken place.

J'ai pris le train à Grenoble.
On est allé à la montagne.

Use the imperfect tense if:

1 you are talking about something that *happened a number of times*, or was a *regular event* (in which case there will often be a phrase like **tous les jours**).

Tous les jours je jouais au tennis.
Le soir on allait à la discothèque.

2 you are saying what something *was like*.

Là-bas, il faisait froid en hiver.
La plage était belle.

3 you want to say how something *used to be*.

Avant, j'habitais en Tunisie.

The pluperfect tense

Look at these examples:

Je n'<u>avais</u> jamais <u>pensé</u> à ça.
I *had* never thought of that.

Je ne savais pas que les Frères Lumière avaient inventé le cinématographe.
I didn't know that the Lumière brothers *had* invented the cinematograph.

To form the pluperfect tense, meaning 'had …', use the imperfect tense of **avoir** + the past participle.

With verbs that form their *perfect* tense with part of the verb **être** instead of **avoir** (reflexive verbs, **venir**, **aller** etc.), use the imperfect tense of **être** in the same way:

Savais-tu que l'idée <u>était venue</u> d'un médecin français?
Did you know that the idea *had come* from a French doctor?

Il <u>s'était fait</u> mal en faisant du ski.
He *had hurt* himself skiing.

Venir de

To say that someone 'has just' done something, use **venir de** + the infinitive:

Je viens d'avoir maths.   I've just had maths.
Je viens de recevoir ta lettre. I've just got your letter.
Elle vient de voir Mathieu.   She's just seen Mathieu.

Avant de

To say 'before doing something' in French, use **avant de** + infinitive:

On va manger avant de partir.
We're going to eat before we leave.
Avant de m'endormir, je lis toujours on peu.
Before going to sleep I always read a bit.

Après avoir… après être…

To say 'after doing something' or 'having done something', use **après avoir** + the past participle:

Après avoir mangé, on est allé au cinéma.
After eating, we went to the cinema.

If the verb concerned is used with **être** in the perfect tense, use **après être** + the past participle:

Après être allé au cinéma, on est rentré à la maison.

Don't forget to make the past participle agree, if necessary:

Après être arriv<u>ée</u>, elle est allée directement à l'hôtel.

Talking about the future

There are two ways of saying what you are going to do or what is going to happen:

1 Part of the verb **aller** + infinitive:

Je vais faire beaucoup de sport.
Tu vas sortir avec tes copains?
Il/Elle/On va faire du camping.

2 The future tense:

Je travaillerai à l'étranger.	I'll work abroad.
Tu seras contente.	You'll be pleased.
Demain il fera chaud.	Tomorrow it will be hot.

The future tense endings are:

Je	–rai
Tu	–ras
Il/Elle/On	–ra
Nous	–rons
Vous	–rez
Ils/Elles	–ront

For Group 1 and 2 verbs, add these endings to the infinitive minus **-r**.

> travailler → je travaillerai
> choisir → nous choisirons

Some Group 3 verbs do more or less the same thing:

> mettre → je mettrai
> dire → on dira

But many have irregular forms which simply have to be learnt. You will find them in the verb list on page 186–188.

The conditional

There is not a separate word for 'would' in French. To say 'I would like…' or 'It would be…', you need a special form of the verb you are using. This is called the conditional.

These are the endings:

Je	-rais
Tu	-rais
Il/Elle/On	-rait
Nous	-rions
Vous	-riez
Ils/Elles	-raient

These are added in the same way as for the future tense (see above).

> J'aimerais être infirmière.
> Mon prof idéal serait patient et calme.
> A ta place, j'irais voir le principal.

Group 3 verbs

aller (to go)

present		
je vais	**perfect**	je suis allé(e)
tu vas	**imperfect**	j'allais
il/elle/on va		
nous allons	**future**	j'irai
vous allez		
ils/elles vont	**conditional**	j'irais

avoir (to have)

present		
j'ai	**perfect**	j'ai eu
tu as	**imperfect**	j'avais
il/elle/on a		
nous avons	**future**	j'aurai
vous avez		
ils/elles ont	**conditional**	j'aurais

boire (to drink)

present		
je bois	**perfect**	j'ai bu
tu bois	**imperfect**	je buvais
il/elle/on boit		
nous buvons	**future**	je boirai
vous buvez		
ils/elles boivent	**conditional**	je boirais

devoir (to have to, owe, 'must')

present		
je dois	**perfect**	j'ai dû
tu dois	**imperfect**	je devais
il/elle/on doit		
nous devons	**future**	je devrai
vous devez		
ils/elles doivent	**conditional**	je devrais

dire (to say, tell)

present		
je dis	**perfect**	j'ai dit
tu dis	**imperfect**	je disais
il/elle/on dit		
nous disons	**future**	je dirai
vous dites		
ils/elles disent	**conditional**	je dirais

écrire (to write)

present		
j'écris	**perfect**	j'ai écrit
tu écris	**imperfect**	j'écrivais
il/elle/on écrit		
nous écrivons	**future**	j'écrirai
vous écrivez		
ils/elles écrivent	**conditional**	j'écrirais

être (to be)

present		perfect
je suis		j'ai été
tu es		imperfect
il/elle/on est		j'étais
nous sommes		future
vous êtes		je serai
Ils/elles sont		conditional
		je serais

faire (to do, make)

present		perfect
je fais		j'ai fait
tu fais		imperfect
il/elle/on fait		je faisais
nous faisons		future
vous faites		je ferai
ils/elles font		conditional
		je ferais

lire (to read)

present		perfect
je lis		j'ai lu
tu lis		imperfect
il/elle/on lit		je lisais
nous lisons		future
vous lisez		je lirai
ils/elles lisent		conditional
		je lirais

mettre (to put, put on)

present		perfect
je mets		j'ai mis
tu mets		imperfect
il/elle/on met		je mettais
nous mettons		future
vous mettez		je mettrai
ils/elles mettent		conditional
		je mettrais

partir (to leave, go away)

present		perfect
je pars		je suis parti(e)
tu pars		imperfect
il/elle/on part		je partais
nous partons		future
vous partez		je partirai
ils/elles partent		conditional
		je partirais

pouvoir (to be able to, 'can')

present		perfect
je peux		j'ai pu
tu peux		imperfect
il/elle/on peut		je pouvais
nous pouvons		future
vous pouvez		je pourrai
ils/elles peuvent		conditional
		je pourrais

prendre (to take)

present		perfect
je prends		j'ai pris
tu prends		imperfect
il/elle/on prend		je prenais
nous prenons		future
vous prenez		je prendrai
ils/elles prennent		conditional
		je prendrais

recevoir (to get, receive)

present		perfect
je reçois		j'ai reçu
tu reçois		imperfect
il/elle/on reçoit		je recevais
nous recevons		future
vous recevez		je recevrai
ils/elles reçoivent		conditional
		je recevrais

savoir (to know)

present		perfect
je sais		j'ai su
tu sais		imperfect
il/elle/on sait		je savais
nous savons		future
vous savez		je saurai
ils/elles savent		conditional
		je saurais

venir (to come)

present		perfect
je viens		je suis venu(e)
tu viens		imperfect
il/elle/on vient		je venais
nous venons		future
vous venez		je viendrai
ils/elles viennent		conditional
		je viendrais

voir (to see)

present		perfect
je vois		**j'ai vu**
tu vois		*imperfect*
il/elle/on voit		**je voyais**
nous voyons		*future*
vous voyez		**je verrai**
ils/elles voient		*conditional*
		je verrais

vouloir (to want)

present		perfect
je veux		**j'ai voulu**
tu veux		*imperfect*
il/elle/on veut		**je voulais**
nous voulons		*future*
vous voulez		**je voudrai**
ils/elles veulent		*conditional*
		je voudrais

Using the word 'on'

When speaking about a group of people including yourself, or about 'someone' or 'people in general', it is very common to use **on**. After **on** the verb takes the same form as it does after **il** or **elle**:

Qu'est-ce qu'on fait?	What shall we do?
Si on faisait du vélo?	How about going for a bike ride?
On a regardé la télé.	We watched the TV.
On parle français au Québec.	They speak French in Quebec.
Qu'est-ce qu'on t'a offert?	What did they give you?/ What were you given?

Imperatives: asking or telling people to do things

When you are talking to a friend or relative, all Group 1 (**-er**) verbs end in **-e**:

Passe le pain, s'il te plaît.
Regarde le dessin.

Most other verbs (Groups 2 and 3) end in **-s**:

Fais voir.
Prends le car.
Ecris-moi bientôt.

When you are talking to more than one person or to an adult, most verbs end in **-ez**:

Ecoutez la cassette.
Prenez beaucoup d'exercice.

A small number end in **-tes**:

Faites attention!
Dites-lui que j'ai téléphoné.

Negatives

Saying that you *don't* do something or that you never do something is known as the negative form of the verb.

Not

To say 'not' you need to put **ne...pas** around the verb (or **n'** before a vowel).

Je	ne	comprends	pas.
Tu	n'	aimes	pas?
Il Elle	ne n'	joue aime	pas. pas.
Nous	ne	restons	pas.
Vous	n'	allez	pas?
Ils Elles	ne n'	jouent arrivent	pas. pas.

The same thing happens in other tenses:

The perfect tense

Je n'ai pas mangé aujourd'hui.
Tu n'as pas fait tes devoirs?
Elle n'est pas partie en vacances.

The imperfect tense

Je ne m'entendais pas très bien avec elle.
Il ne faisait pas chaud.
Ce n'était pas intéressant.

Imperatives

N'oublie pas.
Ne fais pas ça!

Note: French speakers often drop the **ne/n'** when they are talking, for example: **C'est pas vrai!**

Other negatives

never = ne/n' ... jamais

Je	ne	prends	jamais	le métro.
	n'	écoute		la radio.

nothing = ne/n' ... rien

> Je <u>ne</u> fais <u>rien</u>.
> Il <u>n'</u>y a <u>rien</u> d'intéressant à la télé.

no longer, not any more = ne/n' ... plus

> Je <u>n'</u>ai <u>plus</u> de travail.
> On <u>n'</u>est <u>plus</u> un enfant.

**nobody, no one, not anybody =
ne/n' ... personne**

> Je <u>n'</u>ai <u>personne</u> à part toi.
> Elle <u>ne</u> connaissait <u>personne</u>.

not any = ne/n' ... aucun(e)

> Tu <u>ne</u> fais <u>aucun</u> effort.
> Cette fille <u>n'</u>a <u>aucune</u> amie.

neither ... nor = ne/n' ... ni ... ni ...

> On <u>n'</u>est <u>ni</u> adulte <u>ni</u> enfant.
> Je <u>n'</u>ai <u>ni</u> télévision <u>ni</u> magnétophone.

ne ... que

Note this special construction meaning 'only':

Je <u>n'</u>ai <u>que</u> 30 francs.	I've only got 30 francs.
On <u>n'</u>a <u>qu'</u>une vie.	You only have one life.
Il <u>ne</u> reste <u>que</u> 5 000 tigres au monde.	There are only 5 000 tigers left in the world.

Part 11 Asking questions

The simplest questions are those that can be answered by 'yes' or 'no'. In French there are three ways of asking these simple questions. The easiest way is to form your sentence in the normal way and raise the tone of your voice at the end of the sentence.

> C'est dans le nord?
> Je peux téléphoner à mes parents?
> Il habite un appartement?

The second way of forming these simple questions is to add **est-ce que** or **est-ce qu'** to the start of your sentence:

Est-ce que	c'est la Nationale 20?
Est-ce qu'	il y a un café près d'ici?

The third way of asking questions is to invert the verb – in other words, to turn it back to front:

Tu aimes les fastfoods becomes
Aimes-tu les fastfoods?
Tu veux jouer becomes **Veux-tu jouer?**

Notice the hyphen that is added each time. With **il** and **elle**, to make it easier to pronounce, a **t** is normally inserted too, unless the verb itself ends in one:

Où habite-t-il?
Que pense-t-elle?

but

Que fait-il?

Other types of questions in English begin with words like 'how much/many', 'what', 'how', 'where', 'when' and 'who'. Notice how common inversions are in this type of question.

combien de? = how much? how many?

Tu as Il y a	combien de	frères et sœurs? crayons?

C'est Ça coûte	combien?

comment? = what? how?

Tu t'appelles Ça s'écrit	comment?

Comment	vas-tu? serait ton prof idéal?

où? = where?

Où	est la piscine? se trouve Calais?

quand? = when?

C'est quand	ton anniversaire? le match?

que? = what?

Que	penses-tu des marques? fais-tu le week-end?

pourquoi? = why?

Pourquoi	as-tu dit ça?

qu'est-ce qui/qu'est-ce que/qu'est-ce qu'? = what?

Qu'est-ce que	cela veut dire?
	tu fais pour aider à maison?
Qu'est-ce qu'	on fait après le match?
Qu'est-ce qui	menace la Terre?
	t'inquiète le plus?

quel? quelle? = what? which?

	masculine	feminine
singular	quel	quelle
plural	quels	quelles

Quel est ton numéro de téléphone?
Tu habites à quel étage?
Quelle est ton adresse?
C'est quelle ligne?
Quels films as-tu vus cette année?
Quelles chaussures préfères-tu?

lequel? laquelle? = which one?

	masculine	feminine
singular	lequel	laquelle
plural	lesquels	lesquelles

De ces quatre films, lequel préfères-tu?
Il y a deux clefs. Laquelle est à toi?
Tu as déjà lu des livres de Simenon? Lesquels?
Il y a cinq paires de baskets. Lesquelles sont à toi?

quel âge? = how old?

Tu as	quel âge?		Quel âge	a-t-elle?
Il a				

à quelle heure? = at what time?

A quelle heure	est-ce que tu te lèves?

qui? = who?

Qui	parle?
	fait partie d'un club?

pour qui? = who for?/for whom?

C'est	pour qui?

Part 12 Prepositions

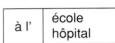

Saying where things are or where they take place

à la, au, à l', à = at, in, to

Use **à la** for feminine nouns

à la	campagne
	maison

Use **au** for masculine nouns

au	café
	collège

Use **à l'** for all nouns beginning with a vowel or 'h'

à l'	école
	hôpital

> Note: Use **au … étage** to mean 'on the … floor', for example: **au cinquième étage.**

Use **à** for towns

à	Paris
	Pointe-à-Pitre

au bout de/du/d' = at the end of

au bout	de	la route
	du	couloir
	d'	une piste

à côté de/du/d' = next to

à côté	de	la cuisine
	du	parc
	d'	une rivière

au bord de/du/d' = on the side of, on the edge of

au bord	de	la mer
	du	lac
	d'	une piste

au-dessus de = above

C'est	au-dessus de	la farine.

à droite/gauche = on the right/left

Tournez	à droite.
Prenez	à gauche.

C'est	à droite	de la poste.
	à gauche	

à ... kilomètres de = ... kilometres from

Elle habite Il se trouve	à 50 kilomètres de	Paris. Lyon.

au nord/sud de = to the north/south of

Brazzaville est situé	au sud de	l'équateur.

chez = at somebody's house/shop/business

chez	moi toi elle lui nous vous eux

chez	Fabienne le dentiste les El Hasadi

dans = in

dans	la chambre un lotissement

devant = in front of, outside

devant	la gare le cinéma

en = in

en	Côte d'Ivoire centre-ville français

en face/en face de/face à = opposite

C'est ma chambre	en face.

Le sucre est	en face du	lait.

Le chalet est	face au	Mont Blanc.

entre = between

entre	Dieppe et Lyon.

juste en dessous = just below

Il habite	juste en dessous.

(non) loin de = (not) far from
assez loin de = quite a long way from

loin non loin assez loin	du stade de la mer du centre-ville

près de/du/d' = near to

près	de du d'	la gare port une banque

Note: **tout près** = very close

sur = on, onto

Ton pull est Brazzaville se trouve	sur	la chaise. la côte Atlantique.

vers = towards

vers	le nord de la France

y = there

Je voulais	y	rester.

Part 13 Saying when things take place

Telling the time

Quelle heure est-il?

Il est	une deux	heure. heures.

at + time

Je pars	à	sept heures.

quarter past, half past and quarter to ...

Il est	une heure	et quart. et demie. moins le quart.

... minutes past the hour

Il est	une heure	douze. vingt-cinq.

... minutes to the hour

Il est	trois heures	moins	douze. vingt-cinq.

(half past) midday/midnight

Il est	midi minuit	(et demi).

giving approximate times

vers	une heure neuf heures et demie

Days, months and years

| Quelle est la date? | C'est le | premier | mai. |
| | | vingt | juin. |

on letters and homework

| lundi, | premier | juillet |
| vendredi, | cinq | décembre |

at times in the morning, afternoon, evening = du matin, de l'après-midi, du soir

A	trois heures	du matin.
	quatre heures	de l'après-midi.
	dix heures	du soir.

this morning/aftenoon/evening

Ce matin	je me suis levé(e) à 7 heures.
Cet après-midi	je suis allé(e) en ville.
Ce soir	je vais faire mes devoirs.

in the morning/afternoon/evening

Le matin	je me lève tôt.
L'après-midi	je suis allé(e) à la piscine.
Le soir	on est allé au restaurant.

on ... morning/afternoon/evening

Mardi matin	je vais à piscine.
Lundi après-midi	il est allé au cinéma.
Jeudi soir	elle va jouer au basket.

tomorrow = demain

| demain | matin |

yesterday = hier

| hier | soir |

last + day/week/month/year

Lundi	dernier	c'était mon anniversaire.
Le mois		je suis parti(e) en vacances.
L'an		j'ai gagné un prix.

| La semaine | dernière | il est allé à la patinoire. |
| L'année | | je suis allé(e) en France. |

in + month/year

en	janvier
	mars
	1815

in + season

| au | printemps |

en	été
	automne
	hiver

during = pendant

| pendant | les vacances |

ago = il y a

il y a	deux heures
	trois jours
	une semaine
	un mois
	un an

Saying how often things happen

| Je joue | une fois par mois. |
| On part | deux fois par an. |

On y va	tout le temps.
	toute l'année.
	tous les jours.
	toutes les semaines.

Saying how long you've been doing something

Use the *present* tense + **depuis**:

J'habite en Suisse depuis cinq ans.
I've been living in Switzerland for five years.
Elle joue du piano depuis six ans.
She has been playing the piano for six years.

Pas vrai!

1 TOUS LES JOURS

Connais-tu les jours de la semaine?
1 D et I **2** dimanche **3** lundi **4** lundi
5 samedi et dimanche (AMED et I) **6** mercredi

2 C'EST MA VIE!

Casse-tête
Les grands-parents sont Jeanne and Luc.

3 TOUT AUTOUR

Un peu d'histoire
1 Faux. En 1885 Benz a inventé la première voiture.
2 Faux. En 1938 les frères Biro ont inventé le stylo à bille.
3 Faux. Une entreprise américaine a construit le premier four à micro-ondes en 1953.
4 Vrai. On a installé les premiers feux rouges aux Etats-Unis en 1914.
5 Vrai. Rock 'n roll a commencé dans les années cinquante.
6 Vrai. Les émissions en couleur ont commencé en 1953 aux Etats-Unis.
7 Faux. L'entreprise Kellogg a vendu les cornflakes pour la première fois en 1906.
8 Faux. En 1980, on a vendu le premier baladeur.
9 Faux. En 1928 Walt Disney a fait le premier dessin animé avec Mickey.
10 Vrai. On a fabriqué le premier ordinateur électronique en Grande Bretagne en 1948.
11 Faux. En 1876, l'écossais Graham Bell a inventé le premier téléphone.
12 Vrai. Orville et Wilbur Wright ont construit le premier avion qui a volé avec succès en 1903.

4 ÇA BOSSE!

Casse-tête
A Jérôme **B** Agnès **C** Virginie **D** Sébastien

5 GARDONS LE CONTACT

De quel pays viennent ces timbres?
1 Tunisie **2** Luxembourg **3** Guyane **4** Belgique
5 Egypte **6** Canada **7** Maroc **8** Algérie

6 AU-DELA

Ça vient de quel pays?
NL = Hollande F = France CH = Suisse
E = Espagne GB = Grande Bretagne
I = Italie D = Allemagne B = Belgique

7 ÇA TE DIT?

Quiz Sport
1 b **2** a **3** c **4** b **5** b **6** a **7** b **8** b **9** c **10** a

8 A MON AVIS

Mon premier et mon dernier
adolescence

9 A TROIS PAS DE MA PORTE

Qui va le plus vite sur une courte distance?
un faucon 350km/h   une balle de golf 275km/h
un guépard 100km/h   un homme 36km/h
une chauve-souris 20km/h

10 TU AS DES SOUS?

Retour de voyage
1 J **2** H **3** F **4** C **5** B **6** G **7** I **8** E **9** D **10** A

Les coiffeurs de Saint-Clin
Notre homme s'est dit: il n'y a que deux coiffeurs dans ce village. Donc, chacun va se faire couper les cheveux chez l'autre. Comme Ben a les cheveux bien coupés, mais pas Martin, c'est donc que Martin est le meilleur coiffeur!

11 QUOI DE NEUF?

Copines généreuses
Monique a passé 'Science et vie' à Jean.
Elsa a passé 'Podium' à Marc.
Marine a passé 'Okapi' à Luc.

12 BON VOYAGE!

Nombres
1 cent (100)
2 zéro (0)
3 sept (7)
4 trente (30), trois (3), un (1)
5 cinquante (50); 9 lettres

Ça compte toujours!
septante = soixante-dix; octante = quatre-vingts;
nonante = quatre-vingt-dix

1 TOUS LES JOURS

La chasse aux 'C'
Look at the drawing and find all the words beginning with 'c'.
There are at least 20!

Fais correspondre!
Here are Céline's answers to questions from her penfriend.
Match up the questions and answers and write them in your exercise book.

Routine journalière
Fill in the blanks using the words below.

Que mangent-ils?
Compare the contents of these plates. Then copy out the sentences filling the blanks with the name of the correct country.

La journée de Julie
Look at the drawings and the time. Then write out Julie's daily routine.

Qu'est-ce qui ne va pas?
Find and try to correct the mistake in each of the texts.

2 C'EST MA VIE!

Cherche correspondants
Copy out these classified adverts replacing the drawings by words chosen from the list below. Be careful! There are four too many. Write your own advert using these four words.

Cherche l'intrus
Find the odd-one-out.

L'horoscope avait tort
The horoscope wasn't at all right for these people! Match the texts and the drawings.

Make up another one yourself and do a drawing to go with it.

Un bon conseil
How should the sentences read? Write the complete sentences then make a poster to illustrate some of these or other ideas.

Du passé à l'avenir
Put the words and expressions below in the correct order going from the past to the future.

Ma meilleure copine et moi
Laetitia describes her best friend. Read the description then decide if the statements next to the text are true or false.

Try to write something about your best friend. What have you got in common? How are you different?

3 TOUT AUTOUR

Pendant les vacances
Look at the drawings and write out the correct sentences.

Questions et réponses
Match up the questions and answers.

Notre ancien appartement
Fill in the blanks choosing from the verbs below.

Une vie
Look at these photos taken during Madeleine Cabanes's lifetime. Match up the texts and photos.

Then make a list of the photos in chronological order with the correct dates next to each one. Begin with number **7** 1930.

Sens ou non-sens?
Does it make sense or not?

Personnages célèbres
In France the streets are often named after famous people. Read these descriptions of famous French people. Their initials are given each time. Which text describes which person? Find the correct names on the town map on page 40.

Your go! Look up the names of other famous people named on the map in the encyclopedia. Write what they were. For example: Albert Camus was a writer.

4 ÇA BOSSE!

Tu aimes l'école?
These seven young people are talking about school. Who likes school? Who doesn't? Make two lists.

C'est quelle matière?
What subject is it?

Questions de collège
Match up the words to finish the sentences. Now answer the questions!

Cher Mamadou
You have read Mamadou's answer to this letter from Antoine on page 48. Look at the letter and finish off the sentences below.

Qui dirait ça?
Read the comments then decide who is speaking: the head, the deputy head, an assistant teacher, the careers teacher, the librarian, the nurse or the bursar.

Stages
Four young people are talking about work placements they have been on. Fill in the blanks choosing the correct verb each time.

5 GARDONS LE CONTACT

Qu'est-ce que c'est?
What is it?

Mots d'absence
Match up the sentences and the drawings.

Lignes embrouillées
Match up the questions and answers.

Début ou fin?
Here are some extracts taken from letters. Is each from the beginning or the end of a letter?

Appels-mêle
Put the words in the correct order to form the sentences you might hear in a telephone conversation.

Une lettre de réclamation
The other day you went on a trip to Paris with your class. You bought a game there for your computer. You have played with it two or three times and it doesn't work any more. Write a letter to the shop where you bought it asking them to replace it. Don't forget to say how much you paid for it. (See letter 3 on page 64.)

Une lettre de Londres
1 Copy out the letter adding all the missing accents, including cedillas.

2 Answer these questions.

Apprends à utiliser le Minitel
Here are seven of the main buttons you need to know on the Minitel. Match them to the explanations below.

6 AU-DELA

Où sont-ils allés?
Look at the photographs. Where did each person go?

Un après-midi de sport
Here is a group of girls at the end of the afternoon in the changing rooms of a sports centre. They've just done some sport. Who did what? Choose the correct answer to the question: 'What sport did you do?'

Beaucoup de choses ont changé
Séna wrote this letter to her friend Séverine who moved away a year ago. She tells her everything that has changed since she left. Read the letter and look at the drawings. Who is it?

Messages
Write a note for each of the following situations.

Détective
A detective has stopped a criminal, Louis Loubard. Here are the contents of his pockets. What did he do at the weekend? Has he got a good alibi? Describe his weekend.

Quel temps?
Group the verbs into three categories: the past, the present and the future.

7 ÇA TE DIT?

Discothèque
Look at the poster. Copy out the dialogue and fill in the gaps using the words shown.

C'est de l'argot, ça?
Match the slang words and the 'normal' words in two lists.

Omnisports
Name the sports illustrated here!

On joue?
Match the photos to the texts and name the five sports described.

A la crêperie
Antoine, Céline and Mouraud have gone to the pancake restaurant. They have ordered three savoury pancakes. Antoine doesn't like cheese and Céline doesn't like tomatoes much. Look at the menu and the bill and decide how much each of them had to pay.

Que disent-ils?

Write the subtitles for each drawing, using the verbs provided. Be careful! You must decide whether to use 'à' or 'de' before the infinitive.

Un match de basket est un spectacle!

Read this interview with Frédéric Hufnagel, champion basketball player. Then complete the 'true or false' activity.

8 A MON AVIS

Quel malheur!

Look at the drawings then match the three parts of each sentence correctly.

Cherche l'intrus

Find the odd-one-out.

Désolé

Your friend has invited you to go to the fair but you are ill. Write a note saying that you cannot go. Say what is wrong with you, too.

A la pharmacie

Rewrite the dialogue in the correct order.

Sondage

Read the results of this survey then answer the questions.

C'est logique?

Match these sentences correctly.

Deux religions différentes

Read the texts and the speech bubbles. Who said what?

Cher éditeur

Imagine you are Fabienne in the photostory. Write a letter to the editor explaining what your problem is.

9 A TROIS PAS DE MA PORTE

Ville nouvelle ou village?

Read the texts. Where does each person live? In a new town or in a village?

Au contraire

Here are two lists of adjectives. Copy them out matching up opposites.

Protégeons la nature

Look at these signs. What two things are not allowed in each of the two places? Choose from the list.

Les écolos

Look at what each person reycles and answer the questions below.

Une question de logique

Choose the odd-one-out each time and the suitable explanation below.

A mon avis

Complete these sentences giving your own opinion.

Comme ça!

Complete these sentences with the right animal. Use the dictionary!

Ils n'avaient pas d'adolescence

1 Complete these sentences.

2 Write a few lines to explain what has changed for these young people.

10 TU AS DES SOUS?

Quel magasin?

Look at the items and the photographs of the shops. Where can each item be bought?

C'est la mode, ça?

Use the sentences below to describe each article of clothing.

Au marché

Write the list of shopping you have to do at the market. The list must have at least five vegetables, five fruits and five other items you can eat.

Métiers

Read the sentences then find the best job for each person from the list below. Write a sentence for each person.

Décode!

Unscramble the letters and classify the words.

Je n'aimerais pas …

Match up the sentences and the drawings.

Gagné et dépensé

Here is how much money Julien was given, earned, found, spent, gave and lost this week. Calculate how much money Julien has at the end of the week.

Cherche l'intrus

Find the odd-one-out.

Le fric

Match up the pairs of sentences.

Now write two sentences about what you think of money.

Quel prix?

Read the clues and calculate the price of each item.

Ma passion à moi

Read what Tony wrote and answer the questions below.

11 QUOI DE NEUF?

A l'écran

Look at the television programmes. Are the following statements true or false?

Pub originale

Select and copy out the right advert for each product.

Chaîne satellite

Make up your own satellite television channel. Write out the programmes for a weekend, (Saturday and Sunday).

A vous, téléspectateurs!

Write to us if you are under 16, tell us the films you would like to see on our YOUTH channel. Don't forget to tell us the type of film (western, sci-fi, police action, etc) and your reasons. Send your request to …

On parle de quoi?

Read the sentences. Is it radio, television or reading which is being spoken about?

Your turn now! Write three more sentences giving your opinions about radio, television and reading.

Sens ou non-sens?

Does it make sense or not?

La télé en question

You have been asked to organise a television debate on the topic 'the pros and cons of television'. Think about and then write up the arguments for and against. Work with a partner and record your ideas.

Futuroscope

Read the post card and answer the questions below.

Records

Complete the sentences using one of the adjectives given below but in the superlative form. Don't forget to make them agree if necessary (feminine, plural).

12 BON VOYAGE!

Val David

Look at this sign from a small city in Québec. Then look at the list below and write out the activities that can be done at Val David.

Lettre au Québec

Write a letter to a penfriend in Quebec. Talk about the television programmes that you like best and why you like them.

Combien de langues?

Which languages are spoken in which countries? Are the following statements true or false?

Quel temps!

Complete the sentences by suggesting a suitable activity.

Qu'est-ce qui ne va pas?

Copy out the sentence which doesn't fit in with each text.

Prévisions de météo

Look at the screens and answer the questions.

La France météorologique

Look at the map and write the weather forecast for each region of France.

Tout simplement

Add these five adjectives to the text, being careful to put each one in the correct position.

Autrement dit

Find the synonyms (words that have the same meaning).

Casse-tête

Eight people go to the restaurant at lunchtime. There is a secondary school teacher, a nurse, a doctor, a policeman, an actor, an actress, a primary school teacher and a secretary.
The waiter seats them all at a large table. Read the five clues which follow and work out where each person is seated.

A

à partir de douze twelve and above
à ta place if I were you
abriter to shelter, harbour
d' **accord** agreed, okay
accorder to agree (also for adjectives with nouns)
accueillir to receive, welcome, hold (numbers)
un **achat** purchase
acheter to buy
acquis(e) acquired, gained
les **actualités** news
l' **adversaire** opponent
l' **aéromodélisme** making model aeroplanes
des **affaires** business affairs
une **affiche** poster, notice
l' **affrontement** confrontation
afin de in order to
un **agneau** lamb
s' **agrandir** to get bigger
agresser to attack, be aggressive towards
l' **agressivité** aggression
aider à to help to
l' **ail** garlic
ailleurs somewhere else
d' **ailleurs** moreover, besides
aîné(e) elder
ainsi thus
ainsi de suite and so on
l' **air** look, appearance
tu as l' **air mal fichu** you don't look so good
l' **alimentation** food
allemand(e) German
aller à pied to walk (go on foot)
un **aller-retour** a return (ticket)
un **aller simple** a single (ticket)
amélioré(e) improved, bettered
améliorer to improve
amitiés 'best wishes'
l' **amour** love
les **amoureux** lovers
amusant(e) fun, entertaining
un **âne** donkey
animé(e) lively
une **année** year
dans les **années soixante** in the sixties
l' **annuaire** phone book
un **appareil photo** camera
une **apparition** appearance
un **appartement** flat
apparu(e) appeared
appeler to call
appliquer to apply (ointment, etc.)
apprendre (à) to learn (to)
apprivoiser to tame
après after
l' **après-midi** (in the) afternoon
une **araignée** spider
l' **argot** slang
une **armée** army
l' **arrêt** stop
à l' **arrière** at the rear

arriver à faire to manage to do
artiste artistic
un **ascenseur** lift
assez enough
assister to watch, look on
un **athée** atheist
atroce appalling
s' **attendre à** to expect
attirer to attract
une **attraction** ride (at a fair)
ne ... **aucun(e)** none at all
tu ne fais **aucun effort** you make no effort whatsoever
augmenter to increase
j' **aurai** I will have
il **aurait** he would have
Auriez-vous l'amabilité? Would you be so kind?
autant as much
Autant en emporte le vent Gone with the wind
autorisé(e) permitted, authorised
Autre chose? Anything else?
un **autruche** ostrich
il y **avait** there was
avant before
avant de commencer before starting
l' **avantage** advantage
l' **avenir** future
des **averses** showers
Vous en avez pour longtemps? How much longer are you going to be?
avez-vous ...? do you have ... ?
un **avis** opinion
avoir to have
en **avoir assez** to have enough, to be tired of
nos parents en ont assez our parents have had enough
avoir besoin de to need
avoir de la chance to be lucky
avoir de la fièvre to have a temperature
avoir de l'humour to have a sense of humour
avoir de quoi vivre to have something to live on
avoir envie de faire to want to do
avoir mal à la gorge to have a sore throat
avoir peur to be scared

B

une **bagnole** car *(slang)*
le **bahut** school *(slang)*
la **baignade** bathing, swimming
se **baigner** to go swimming
un **baiser** kiss
se **balader** to go for a walk, stroll
une **balle** franc *(slang)*
des **bandes dessinées** comic books
la **banlieue** in the suburbs

une **base de loisirs** outdoor pursuit centre
la **bataille** battle
un **bateau** boat, ship
des **bâtonnets de poisson** fish fingers
battre un record to beat a record
bavarder to chat
le **beau-frère** brother-in-law
la **belle-mère** stepmother
un **berger** shepherd
bête stupid
une **bête sauvage** wild beast
le **béton** concrete
bien sûr of course
un **bijou** jewel
la **bijouterie** jewellery department/store
grosses **bises** 'love' (at end of letter)
un **blanc d'œuf** egg white
une **blessure** injury
un **bocal** jar
en **bois** made of wood
une **boîte** tin
la **boîte à lettres** letter box
une **boîte (de nuit)** night club
bosser to work *(slang)*
des **boucles d'oreilles** earrings
bouffer to eat *(slang)*
le **boulanger** baker
le **boulot** work, job
bourratif filling, stodgy
au **bout de** at the end of
un **bouton** spot, button
la **boxe** boxing
le **braconnage** poaching
breton(ne) from Brittany
le **brouillard** fog
brouillé(e) jumbled
brûlé(e) au bûcher burnt at the stake
bruyant(e) noisy
les **bûcherons** woodcutters
le **bulletin (scolaire)** (school) report
le **bureau** office
les **buts** goals

C

ça it, that
ça fait honte it makes you ashamed
ça gêne pas it doesn't matter
ça marche it works
ça m'est égal I don't care
ça ne me va pas it doesn't suit me
ça (ne) veut rien dire it means nothing
Ça sera tout? Will that be all?
Ça te plaît? Do you like it?
ça te va bien that suits you
une **cabane** hutch
la **cabine d'essayage** changing room

une cabine téléphonique phone box
le cabinet surgery, consultation room
un caddie trolley (in a supermarket)
un cafard cockroach
la caisse cash-desk, till
la campagne country
le canapé sofa
un canard duck
une cannette can
le caractère character, letter (of the alphabet)
un carnet de correspondance homework diary
(un) carré square
un carrefour junction, crossroads
le carton cardboard
dans ce cas in that case
un casque helmet
casse-pied boring, a pain *(slang)*
une cave de vin wine cellar
ce qui m'inquiète what worries me
une cédille cedilla (accent used to soften the letter 'c')
la ceinture belt
célèbre famous
une cellule cell
celui-là, celle-là that one
Cendrillon Cinderella
des centaines hundreds
une centrale nucléaire nuclear power station
en centre-ville in the town centre
une cerise cherry
ceux-là, celles-là those
la chair de poule goose flesh
la chambre bedroom
une chambre à air air pocket
un chameau camel
le champ field
un champignon mushroom
le championnat championship
chanceux, chanceuse lucky
un char chariot
une charge burden, load
des chaussures shoes
une chemise shirt
cher, chère dear, expensive
chercher to look for
la cheville ankle
une chèvre de montagne mountain goat
un chiffon rag
le chiffre figure, numeral
la chimie chemistry
un chimiste chemist
le choix choice
le chômage unemployment
un chômeur unemployed person
la choucroute sauerkraut (pickled red cabbage)
chrétien(ne) Christian
le ciel sky
clair light (of colour)
une classe de neige school ski trip
un classeur file, filing cabinet

le clavier keyboard
un client customer (male)
une cliente customer (female)
un coéquipier fellow team member
se cogner la tête to bash your head
un colis parcel, package
le colorant colouring (in food or drink)
Combien de temps? How long?
Combien je vous dois? How much do I owe you?
la combinaison combination
commander to order
commencer (à) to start, begin (to)
commode convenient
en commun in common
composer to dial
comprendre to understand
un comprimé tablet, pill
compter to count
(se) concentrer to concentrate
le concours competition
confiant(e) confident, sure of
confier to confide, tell
confus(e) confused, bewildered
conscient(e) aware
un conseil piece of advice
conseiller to advise
le conseiller d'éducation deputy head
le conseiller d'orientation careers adviser
conserver to keep
le consommateur consumer
une constatation statement
le contenu contents
le contraire the opposite
le contrôle test
une coopérative business co-operative, joint company
copieux, copieuse plentiful, copious, lots of
un coquelicot poppy
la coquille shell (of an egg, seafood, etc.)
à mille cordes with a thousand strings
la corne horn
le corps body
la corrida bullfight
la côte coast, upward slope
à côté de next to
une cotisation subscription (to a club/society)
le coucher du soleil sunset
un coup de fil a phone call, 'a ring'
la coupe de cheveux haircut/style
le courant current (water, electricity)
le coureur competitor
couronner to crown
les cours du soir evening classes
une course cycliste cycle race
un coussin cushion
couvert(e) overcast, covered
une couverture blanket

craquer to crack, cave in, submit
créé(e) created
la crème cream
la crème anglaise custard
une crêperie pancake restaurant, stall
crevé(e) worn out, tired *(slang)*
critiquer to criticise
je croyais I thought
un croyant believer
cru(e) raw
les crudités raw vegetables (as a starter for a meal)
une cuiller spoon
cuisiner to cook
cuit(e) cooked
des cultivateurs market gardeners, farmers

dangereux, dangereuse dangerous
le dauphin dolphin
débarquer to disembark
le début beginning
les déchets nucléaires nuclear waste
décider (de) to decide (to)
décontracté(e) relaxed, comfortable
découragé(e) disheartened, discouraged
une découverte discovery
décrire to describe
décrocher to pick up the receiver
déçu(e) disappointed
dedans inside
défaire to undo
un défaut bad quality, fault
Dégage! Mind out! *(slang)*
dégoûtant revolting
en dehors de outside, on the outskirts
le déjeuner lunch
délicieux, délicieuse delicious
à demain until tomorrow
démarrer le projet to start the project
déménager to move (house)
un(e) demi-pensionnaire student who has school lunch but does not board at school
une demi-sœur half-sister
le départ departure
dépasser to go beyond, overtake
dépenser to spend
depuis longtemps for a long time
derrière behind, at the back of
je suis descendu(e) I went down, got off, got out of
dès l'âge de huit ans from the age of eight
désolé(e) sorry
le dessin art, drawing
un dessin animé cartoon
au-dessous de below
au-dessus de above
le destin destiny

en détresse distressed, in danger
détruire to destroy
devant in front of, outside
devenir to become
le déversement dumping
deviner to guess
les devoirs homework
il devrait he would have to
la diarrhée diarrhoea
Dieu God
le dîner dinner/supper/evening meal
je dirai I will say/tell
en direct live (broadcast)
diriger to direct, lead
disparaître to disappear
disposé(e) set out
se disputer avec to argue with
un distributeur automatique automatic dispenser
j'ai dit I said
un dixième a tenth
un documentaire documentary
le (la) documentaliste librarian
dommage (what a) shame/pity
donc so, therefore
donner to give
donner à manger to feed
donner la parole à to allow someone to speak
dormir (je dors) to sleep (I sleep)
doucement slowly
doué(e) talented
doux, douce sweet, mild, pleasant
une douzaine dozen
le drapeau flag
dresser une liste to make a list
se dresser to get up, rise
drôle funny
la durée length (of time)

E

un échange exchange
échapper à to escape from
s' échapper to escape
les échecs chess
des éclaircies clear spells
un éclat brilliance, sparkle, lustre
une écolière schoolgirl
l' écran screen
j'ai écrit I wrote
un écrivain writer
effacer to wipe out, remove
effectué(e) carried out
l' effet effect
l' effet de serre greenhouse effect
les effets spéciaux special effects
effrayant(e) frightening
ça m'est égal I don't care
également equally
un(e) élève pupil, student
emballé(e) wrapped, packaged
embarquer to board (a ship)

embêtant(e) annoying
embêter to upset/get on someone's nerves
un embouteillage traffic jam
embrasser to kiss
un émigré immigrant
une émission (de télévision) television programme
une émission comique/humoristique comedy programme
empêcher to prevent
un emplacement camping pitch
un emploi job
un emploi du temps timetable
une empreinte digitale fingerprint
un emprunt loan
emprunter to borrow
enceinte pregnant
un endroit place
énervé(e) annoyed, angry, irritated
l' enfance childhood
enfermé(e) locked up, enclosed
enlever to take off
s' ennuyer to be bored, get bored
énormément de loads of
enregistré(e) recorded
enseigner to teach
ensoleillé(e) sunny
s' entendre (bien) avec to get on (well) with
enterrer to bury
l' entraînement training
s' entraîner to train
entre between
une entreprise company, business
entre-temps meanwhile
à l' envers inside out
l' environnement environment
les environs surrounding area
envoyer to send
une épée sword
à l' époque at that time, in that age
une épouse wife
une épreuve test
E.P.S. P.E.
des équipements facilities
l' équitation horse riding
l' escalade rock climbing
un escalier stairs
l' escrime fencing
un espace space
l' espagnol Spanish
une espèce menacée threatened species
espérer to hope
un espion spy
l' espoir hope
l' esprit mind
un essai try
essayer (de) to try (to)
l' essence petrol
essuyer to wipe
s' estimer to consider oneself

Et avec ceci? Anything else?
établi(e) established, set up
au premier étage on the first floor
une étagère stall, stack of shelves, shelving unit
une étape stage (of a race)
en été in summer
j'ai été I was
une étoile star
étonnant(e) surprising, astonishing
étourdi(e) dazed, dizzy, bewildered
à l' étranger abroad
les études de droit law studies
j'ai eu I had
un événement event
éviter to avoid
exigeant(e) demanding, exacting
une expérience experiment
expliquer to explain
un exposé talk, oral presentation
s' exprimer to express oneself
extraverti(e) extrovert, out-going

F

face heads (of a coin)
en face de opposite
faire to do, make
faire des économies to save up
faire la gueule to pull faces, be moody
faire les courses to do the shopping
se faire prendre pour to be mistaken for
faire prisonnier to take prisoner
faire un tour sur to have a ride on/a go on
Fais gaffe! Watch out! *(slang)*
il faisait beau it was fine
il faisait chaud it was hot
il faisait du soleil it was sunny
il faisait froid it was cold
au fait while I think of it
j'ai fait I did, made
la fatigue tiredness
fauché(e) broke, skint *(slang)*
il faut you have to
je ferai I will do
la ferme farm
une fête foraine fair
fêter to celebrate
un feuilleton soap (on TV)
les feux (de circulation) traffic lights
fichu(e) finished, ruined
fidèle faithful
fidèlement faithfully
fier, fière proud

la **fièvre** fever, high temperature
la **figure** face
le **fils unique** only son
flamand(e) Flemish
flâner to stroll
une **flèche** arrow
un **flic** copper, policeman (slang)
le **fond** bottom, end
le **fondateur** founder
fondé(e) founded, set up
fondu(e) melted
font mal aux yeux hurt the eyes
le **footing** jogging
pas **forcément** not necessarily
la **forêt tropicale** tropical forest
fort(e) strong
comme un **fou** like a madman
la **foule** crowd
la **fourrure** fur
frais, fraîche fresh, cool, chilled
freiner to brake
le **fric** money (slang)
la **frontière** border
les **fruits de mer** seafood, shellfish
le **fumier** manure
un **fusil** rifle
ce **fut toi** it was you

gagner to earn, to win
une **galette** savoury pancake
les **gants** gloves
gaspiller to waste
un **gâteau** cake
le **gaz carbonique** carbon dioxide
le **gazon** turf, grass
geler to freeze
gêner to bother, embarrass
généreux, généreuse generous
gentil(le) nice, kind
les **globules blancs** white corpuscles
un **gosse** kid (slang)
gourmand(e) greedy
le **goûter** tea
une **goutte (d'eau)** a drop (of water)
le **gouvernement** government
grâce à thanks to
une **graine** seed
un **grand magasin** department store
grandir to grow, to get bigger
un **graphique (camembert)** graph (pie chart)
gras(se) greasy, oily, fatty
gratter to scratch
gratuit(e) free (of charge)
grave serious
grimper to climb
la **grippe** flu
une **grossesse** pregnancy
un **guépard** cheetah
la **guerre** war

l' **habillement** dress, clothing
j' **habitais** I used to live
j' **habite là depuis toujours** I've always lived here
d' **habitude** usually
une **hache** hatchet, axe
l' **haltérophilie** weight lifting
des **haricots verts** green beans
le **hasard** chance
en **haut de** at the top of
hésiter to hesitate
de bonne **heure** early
heureux, heureuse happy
l' **histoire-géo(graphie)** history-geography
en **hiver** in winter
honnête honest
j'ai **horreur de ça** I dread it, can't stand it
l' **humeur** mood

idéal(e) ideal
un **immeuble** block of flats
n' **importe où** no matter where
n' **importe qui** no matter who
un **inconnu** stranger
l' **inconvénient** disadvantage
un **indice** clue
l' **industrie** industry
l' **inégalité** inequality
une **infirmière** nurse
influencer to influence
un **ingénieur** engineer
je m' **inquiétais** I was worried
s' **inquiéter** to worry, become anxious
insignifiant(e) insignificant, meaningless
instantanément straight away
un **instituteur** primary school teacher (male)
une **institutrice** primary school teacher (female)
insuffisant(e) inadequate
l' **intendant** bursar
interdit(e) forbidden
une **interro(gation)** test
introduire to insert, put in
l' **inverse** the opposite
j' **irai** I will go
il **irait** he would go
isolé(e) isolated

le **jardin** garden
le **javelot** javelin, spear
un **jean** jeans
un **jeu de société** parlour/board game
un **jeu télévisé** game show
jeune young
joint(e) connected, contacted
un **jouet** toy

un **joueur** player
un **journal** newspaper
une **journée** day (out)
des **jumeaux** twins (male)
jumelé(e) twinned
des **jumelles** twins (female)
une **jupe** skirt
jurer to swear
jusqu'à until, as far as
juste fair
justement quite, precisely

laid(e) ugly
laisser un message to leave a message
une **laitue** lettuce
une **langue** language
large wide
lécher to lick
la **lecture** reading
un **légume** vegetable
le **lendemain** the next day
Lequel/laquelle? Which one?
Lesquels/lesquelles? Which ones?
la **lessive** washing (powder)
une **lettre d'amour** a love letter
une **lettre de plainte** a letter of complaint
une **lettre de remerciement** a thankyou letter
la **liberté** freedom
une **librairie** bookshop
libre free, available
licencié(e) sacked, made redundant
a eu **lieu** took place
le **lilas** lilac
à la **limite** if necessary, if the worst comes to the worst
lire to read
lisiblement legibly
lointain(e) distant
les **loisirs** leisure activities
une **longue/courte formation** long/short training
lors de during
louer to hire (out)
lumineux, lumineuse luminous, very bright
la **lutte** wrestling
le **lycée** sixth form (college)

une **machine à écrire** typewriter
Magne-toi! Hurry up! Get a move on! (slang)
la **mairie** town hall
le **maïs** sweetcorn
une **maison** house
le **maître** master
la **maîtresse** infant/primary school teacher
mal au cœur sick
un **mal de tête** headache

j'ai mal à la tête I've got a headache
malade ill
une maladie illness, sickness, disease
malgré despite
le malheur unhappiness, misfortune
malheureusement unfortunately
un mammifère a mammal
la Manche the English Channel
le manche handle
un mannequin fashion model
manquer to be missing
le maquillage make-up
une marche step
la marée noire oil spill
on les mariera we will see them married
une marque brand name, model
j'en ai marre I'm sick of it
marron brown
la maternelle infant school/class
les maths maths
une matière subject
la matière grasse fatty substance
le matin (in the) morning
une matinée morning
un mec bloke, guy (slang)
un médecin doctor
des médicaments medicine
meilleur(e) best
un mélange mixture
une mêlée scrum
même same
une menace threat
menacer to threaten
mener (une vie) to lead (a life)
mentir to lie
la messagerie électronique e-mail (electronic communication)
la météo weather report
un métier job
le metteur en scène film director
mettre to put on
les meubles furniture
le meurtre murder
à micro-ondes micro-wave
des milliers thousands
la mise à mort killing, putting to death
à mi-temps part-time
la M.J.C. Maison des Jeunes et de la Culture
moche grotty, ugly
la mode fashion
le mode de vie way of life
moindre least
moins cher/chère cheaper
moins d'une heure less than an hour
la moitié half
le monde world
le Tiers- Monde the Third World
tout le monde everybody
mondial(e) of the world

la monnaie currency, change, money
je suis monté(e) I went up, got on/in
la montgolfière hot air ballooning
la mort death
un mouchoir handkerchief
une mouette seagull
une moule mussel
mourir to die
un moustique mosquito
la moyenne average, overall mark
la musculation muscle-building
musicien(ne) musical
musulman(e) Muslim

N

un nain dwarf
Blanche Neige et les Sept Nains Snow White and The Seven Dwarfs
la natation swimming
il neigeait it snowed, it used to snow
nettoyer to clean
le neveu nephew
ne ... ni... neither ... nor ...
la nièce niece
les noces wedding
la noix de coco coconut
non loin de not far from
le nord-ouest in the north-west
un notaire solicitor
la note mark (at school)
notre, nos our
la nourriture food
de nouveau again, anew
nouveau né(e) newborn child
les nouvelles news
(se) noyer to drown
nu(e) naked
le nucléaire nuclear power
nuisible harmful
la nuit (at) night
nul(le) useless
nulle part nowhere
numéroté(e) numbered

O

d' occasion second-hand
occupé(e) engaged, busy
s' occuper de to look after
un ongle fingernail
un orage storm
orageux, orageuse stormy
un ordinateur computer
une ordonnance prescription
à l' oreille by ear
un ours bear
un outil tool, implement
ouvert(e) open
ouvert à l'inconnu open to new experiences
une ouverture opening
un ouvrier factory worker (male)
une ouvrière factory worker (female)

P

pané(e) covered with breadcrumbs
un panneau sign
la papeterie stationery
par by
par contre on the other hand
le parapente hang-gliding
parcourir to cover (ground/distance)
pareil(le) similar, the same
un paresseux sloth (animal), a lazy person
parfois sometimes
parmi amongst
à part apart from, except
C'est de la part de qui? Who's speaking?
partager to share
je suis parti(e) I went away, left
pas cher cheap
de passage passing through
un passant passer-by
je vous le passe I'll put you through (to him)
passionnant(e) exciting
patient(e) patient
le patin/patinage skating
la patinoire skating rink
le patron boss
la pauvreté poverty
le paysage countryside, scenery
la peau skin
la pêche peach, fishing
un pêcheur fisherman
un peintre painter, artist
la peinture painting
une pelouse lawn
une peluche teddy bear
toutes nos peines all our heartaches
pendant la semaine during the week
pénible tiresome, 'a pain'
perdre to lose
perdre connaissance to lose consciousness
une perruche budgie
un personnage character
une perte loss
une perte de temps waste of time
les petites annonces small ads
peu à peu little by little
la peur fear
la pharmacie chemist's (shop)
un pharmacien chemist
le photographe photographer
une phrase-clé key sentence
la physique physics
une pie magpie
une pièce room, coin
à pièces coin-operated
une pile battery
pile tails (of a coin)
pincer to pinch, nip
une piqûre (d'insecte) injection (insect bite)
pire worse
la piste ski slope

pittoresque picturesque, pretty
une **place** square
la **planche à voile** windsurfing
la **planète** planet
un **plat** dish
plein de full of, loads of
pleurer to cry
il **pleuvait** it rained, it used to rain
la **plongée (sous-marine)** (deep sea) diving
la **pluie acide** acid rain
la **plupart** most
plus d'une heure more than an hour
plusieurs several, many
plutôt rather, preferably
le **poids** weight
un **poignard** dagger
le **point du jour** daybreak
la **pointure** size (for shoes)
un **poisson** fish
Poissons Pisces
la **politique** politics
polluer to pollute
une **pomme de terre** potato
les **pompiers** fire brigade
le **port** port, harbour, wearing
le **port d'un préservatif** wearing a condom
portatif, portative portable
un **porte-monnaie** purse, wallet
porter malheur to bring bad luck
le **porteur** the wearer
le **potage** soup
un **poteau** stake, (goal)post
la **poubelle** dustbin, litter bin
le **poulet** chicken
le **poumon** lung
pourri(e) rotten
pouvoir to be able to
pratiquant practising
précis(e) exact, precise, well-defined
en **première (classe)** in first (class)
prendre to take (medicine, etc.)
prendre le car to get (catch) the bus
prendre le petit déjeuner to have breakfast
près de near to
les **prévisions** forecast
prévu(e) arranged, planned
prier to pray
une **prière** prayer
le **principal** headteacher
j'ai pris I took
une **prise de sang** blood sample
privé(e) deprived
le **prix** price, prize
un **problème** problem
prochain(e) next
proche de l'extinction nearly extinct
le **producteur** producer
le **professeur** teacher
profond(e) deep
le **progrès** progress

promener to take for a walk
la **promesse** promise
proposer (de) to suggest …ing
propre clean, own
mon bateau **propre** my clean boat
mon **propre bateau** my own boat
des **prospecteurs miniers** mining prospectors
protégé(e) protected
protéger to protect
provoqué(e) provoked, caused
la **prudence** caution, care
une **prune** plum
un **pruneau** prune
la **pub (publicité)** advert, advertising
puissant(e) powerful
puni(e) punished
la **punition** punishment
la **purée** mashed potatoes, purée

Q

la **qualité** good quality
quand même all the same
quant à as for
un **quartier** part of town
quelque chose d'utile something useful
quelque part somewhere
Qu'est-ce qu'on passe? What's on? (TV/cinema)
il n'était
pas question de/que … there was no question about …
ne quittez pas hold the line (phone)
de quoi manger something to eat

R

raccrocher to put down the receiver, hang up
la **racine** root
raconter to tell (a story or a joke)
ramasser to collect
une **randonnée** trip, excursion
rappeler to call back
rapporter to bring in (e.g. money)
rater to miss (a bus, etc.)
le **rayon** department
le **réchauffement de la terre** global warming
des **recherches** research
une **réclamation** making a claim/demand
récompensant rewarding, awarded to
reconnaissant(e) grateful
la **récré(ation)** breaktime (at school)
j'ai reçu I received, got
recycler to recycle
redoubler to repeat the year (at school)
refaire to re-do
réfléchir to think
refuser (de) to refuse (to)

réglé(e) regulated, organised, settled
une **religieuse** nun
remarquer to notice
se faire **remarquer** to get oneself noticed
rembourser to pay back
un **remède** cure
le **remerciement** thanks
remis(e) bestowed, awarded
cela me **remontait le moral** that made me feel better
la **remorque** trailer
un **remplaçant** substitute
remplir to fill
rencontrer to meet
le **rendez-vous** meeting/date
renforcer to reinforce, strengthen
renoncer to give up
des **renseignements** information
renseigner to inform
se **renseigner sur** to find out about
rentrer to come home, get home
répandu(e) widespread
le **repas** meal
j'y repense I think back to it
le **répondeur** answerphone
un **représentant de commerce** company rep(resentative)
reproduisait reproduced, mirrored
RER (Réseau Express Régional) part of Paris rail system
une **résidence secondaire** second home
résoudre un problème to solve a problem
respirer to breathe
responsable de responsible for
(se) **ressembler** to look alike, resemble
ressentir to feel
restaurer to restore
rester to remain, stay
une **retenue** detention
retirer to take out (a phone card)
de **retour** back, returned
réussir to succeed
rêver to dream
rêveur, rêveuse dreamy
une **revue** magazine
au **rez-de-chaussée** on the ground floor
un **rhume** a cold
rigoler to joke
rincer to rinse
rire to laugh
il **risque de neiger** it might snow
un **risque d'orages** risk of storms
risquer (de) to stand a chance of
le **riz** rice
une **rizière** rice field
Robin des Bois Robin Hood

le **roc** rock face
le **roi** king
un **rond-point** roundabout
la **route principale** main road
la **routine quotidienne** daily
routine

sacré(e) blessed, sacred, holy
sage well-behaved, sensible,
wise
saigner to bleed
saisir to grab
la **saison sèche** the dry season
des **salauds** swine
sale dirty
salé(e) salted, salty
salir to make dirty
salissant(e) that makes you
dirty
la **salle d'études** room for
private study
la **salle de permanence** room
for private study
sans without
la **santé** health
satisfaisant(e) satisfactory
sauf except
le **saumon** salmon
il **saurait** he would know
le **sauvetage** lifesaving
les **sciences nat(urelles)** natural
science
un **séjour** stay
un **sentier** track, (foot)path
se sentir bien to feel well
se sentir (mieux) to feel (better)
je **serai** I will be
il **serait** he would be
au **sérieux** seriously
le **sérieux** serious intentions,
nature
une **seringue** syringe
se servir de to use
non seulement ... (mais) aussi not
only ... (but) also
sinon if not, otherwise
un **soda** sparkling/soft drink
soigner to look after, care for
le **solfège** musical scales, notation
j'ai **sommeil** I'm feeling sleepy
le **sommeil** sleep
au **sous-sol** in the basement
un **sous-titre** subtitle
la **spéléo(logie)** caving,
potholing
un **squelette** skeleton
stressant(e) stressful
il **suffisait** it was enough, all
that was needed
au **sujet** about

un **tableau** painting, canvas
une **tache** spot, mark, speckle
la **taille** size (for clothes)

taillé(e) cut, hewn
tandis que whereas
tant (de) so much
tant pis tough luck, so much
the worse
taper to hit, bash, type
tardif, tardive late
le **tarif** price
des **tas de** lots of
un **taureau** bull
la **techno(logie)** technology
la **teinte** colour, shade, tint
une **télécarte** phone card
un **télécopieur** fax machine
un **téléphone portatif** portable
phone
un **télésiège** ski-lift
pas tellement not much
le **temps** weather, time, tense (of
a verb)
de temps en temps now and then
un **temps orageux** stormy
weather
tenter to tempt
terminer to finish
un **terrain** pitch, court, ground, etc.
terrible great, terrific, terrible
un **tiers** a third
le **Tiers-Monde** the Third World
un **timbre** stamp
timide shy
le **tir** shooting
le **tir à l'arc** archery
un **tiroir** drawer
un **titre** title
tomber to fall
la **tonalité** the (dialling) tone
tordu(e) twisted
tôt early
la **touche** touch, key (on
typewriter, keyboard and
musical instruments)
toujours always, still
un **tournoi** tournament
tout de suite straight away
trahir to betray
traîner to drag (oneself)
le **train-train quotidien** boring
daily routine
le **traitement** treatment
tranquille quiet, peaceful
le **travail** job, work
le **travail à la chaîne** assembly-
line work
travailler dehors to work
outdoors
travailler en équipe to work in
a team
traverser to cross
le **trimestre** term
se tromper de numéro to get the
wrong number
un **trou** hole
un **truc** thing, whatsit,
thingumabob
un **tube** (hit) record *(slang)*
tuer to kill

une **usine** factory
utile useful
utiliser to use

s'en va is leaving
les **vacances** holiday
vachement incredibly, ever
so *(slang)*
vaciller to totter, stagger
une **vague** wave
une **valise** suitcase
des **valises sous les yeux** bags
under the eyes
valoriser to honour, value
vaniteux, vaniteuse conceited
une **vedette** star, famous person
à vélo by bike
un **vendeur** shop assistant (male)
une **vendeuse** shop assistant
(female)
le **vent** wind
vérifier to check
on se verra we'll see each other
le **verre** glass
vers towards, about
le **vestiaire** changing room
les **vêtements** clothes
la **viande** meat
vider to empty
la **vie** life
une **vie saine** healthy life
je **viendrai** I will come
mon **vieux** old chap
vieux-jeu old-fashioned, out
of touch *(slang)*
la **ville** town
une **ville nouvelle** new town
une **vingtaine** about twenty
une **vitre** pane of glass
la **vitrine** shop window
Vivement les vacances! Roll
on the holidays!
vivre to live
des **vœux de bonheur** good
wishes (for happiness)
la **voile** sailing
se voiler to disappear from
view, become obscure
le **voisin** neighbour
la **voix** voice
le **vol** flight
la **voltige aérienne** aerial
acrobatics
vomir to be sick
j'ai **voulu** I wanted
un **voyage** journey
voyager to travel
j'ai **vu** I saw

il **y a trente ans** thirty years
ago
y compris including

A

to be able to pouvoir
above au-dessus de
abroad à l'étranger
acid rain la pluie acide
advantage l'avantage
advert la pub (publicité)
to advise conseiller
after après
in the afternoon l'après-midi
again de nouveau
from the age of (eight) dès l'âge de (huit) ans
(thirty years) ago il y a (trente ans)
agreed d'accord
always toujours
amongst parmi
ankle la cheville
annoying embêtant(e)
Anything else? Autre chose? Et avec ceci?
apart from à part
appalling atroce
appearance l'air
archery le tir à l'arc
to argue with se disputer avec
artistic artiste
as much autant
to attract attirer
to avoid éviter
aware conscient(e)

B

baker le boulanger
in the basement au sous-sol
battery une pile
to beat a record battre un record
to become devenir
bedroom la chambre
before avant
before starting avant de commencer
beginning le début
behind derrière
below au-dessous de
belt la ceinture
best meilleur(e)
'best wishes' (at end of letter) amitiés
between entre
by bike à vélo
blanket une couverture
block of flats un immeuble
board game un jeu de société
boat un bateau
body le corps
bookshop une librairie
to be/get bored s'ennuyer
to borrow emprunter
boss le patron
to bother gêner
boxing la boxe
to brake freiner
brand name, model une marque

breaktime (at school) la récré(ation)
brother-in-law le beau-frère
brown marron
budgie une perruche
to buy acheter
by par

C

cake un gâteau
to call appeler
to call back rappeler
camera un appareil photo
camping pitch un emplacement
can (tin) une cannette
I can't stand it j'ai horreur de ça
cardboard le carton
I don't care ça m'est égal
cartoon un dessin animé
caving, potholing la spéléo(logie)
to celebrate fêter
championship le championnat
chance le hasard
change la monnaie
changing room (in a club) le vestiaire
changing room (in a shop) la cabine d'essayage
character un personnage
to chat bavarder
cheap pas cher/chère
cheaper moins cher/chère
chemist un pharmacien
chemist's (shop) une pharmacie
chemistry la chimie
cherry une cerise
chess les échecs
chicken le poulet
choice le choix
clean propre
to clean nettoyer
to climb grimper
clothes les vêtements
coast la côte
a cold un rhume
it was cold il faisait froid
to collect ramasser
to come home rentrer
comedy programme une émission comique/humoristique
comic books des bandes dessinées
company une entreprise
competition le concours
computer un ordinateur
to concentrate (se) concentrer
concrete le béton
confident confiant(e)
consumer le consommateur
contents le contenu
convenient commode

to cook cuisiner
to count compter
country la campagne
countryside le paysage
cream la crème
to criticise critiquer
to cross traverser
crossroads un carrefour
crowd la foule
to cry pleurer
custard la crème anglaise
customer un(e) client(e)
cycle race une course cycliste

D

daily routine la routine quotidienne
dangerous dangereux/dangereuse
day une journée
dear cher/chère
death la mort
to decide (to) décider (de)
deep profond(e)
delicious délicieux/délicieuse
department le rayon
department store un grand magasin
departure le départ
to describe décrire
despite malgré
detention une retenue
to dial composer
diarrhoea la diarrhée
I did, made j'ai fait
to die mourir
dinner le dîner
dirty sale
disadvantage l'inconvénient
to disappear disparaître
disappointed déçu(e)
dish (in a restaurant) un plat
distant lointain(e)
to do, make faire
doctor un médecin
documentary un documentaire
dolphin le dauphin
donkey un âne
dozen une douzaine
drawer un tiroir
drawing le dessin
to dream rêver
duck un canard
during (the week) pendant (la semaine)
dustbin la poubelle

E

early de bonne heure, tôt
to earn gagner
earrings des boucles d'oreilles

to embarrass gêner
at the end of au bout de
engaged, busy occupé(e)
engineer un ingénieur
the English Channel la Manche
enough assez
to have enough, to be tired of en avoir assez
environment l'environnement
to escape s'échapper
everybody tout le monde
except à part, sauf
exchange un échange
exciting passionnant(e)
to expect to s'attendre à
expensive cher/chère
to explain expliquer

face la figure
factory une usine
factory worker un ouvrier, une ouvrière
fair juste
faithful fidèle
to fall tomber
famous célèbre
farm la ferme
fashion la mode
fax machine un télécopieur
to feed donner à manger
to feel well se sentir bien
fencing l'escrime
fever, high temperature la fièvre
field le champ
figure (number) le chiffre
(school) file un classeur
to fill remplir
it was fine il faisait beau
to finish terminer
fire brigade les pompiers
first class en première (classe)
on the first floor au premier étage
fish un poisson
fish fingers des bâtonnets de poisson
fisherman un pêcheur
fishing la pêche
flag le drapeau
flat un appartement
flight le vol
flu la grippe
fog le brouillard
food l'alimentation, la nourriture
forbidden interdit(e)
free libre
free (of charge) gratuit(e)
to freeze geler
fresh, cool frais/fraîche
frightening effrayant(e)
in front of devant
full of, lots of plein de
fun amusant(e)
funny drôle

furniture les meubles
future l'avenir

game show un jeu télévisé
garden le jardin
garlic l'ail
generous généreux/généreuse
German allemand(e)
to get (catch) the bus prendre le car/bus
to get on (well) with s'entendre (bien) avec
to get the wrong number se tromper de numéro
to give donner
glass le verre
gloves les gants
goals les buts
God Dieu
good quality la qualité
I got on/in je suis monté(e)
to grab saisir
graph (pie chart) un graphique (camembert)
greasy, fatty gras(se)
great, terrible terrible
greedy gourmand(e)
green beans des haricots verts
greenhouse effect l'effet de serre
on the ground floor au rez-de-chaussée
to grow, get bigger grandir
to guess deviner

I had j'ai eu
half la moitié
half-sister une demi-sœur
handkerchief un mouchoir
hang-gliding le parapente
happy heureux/heureuse
to have avoir
to have breakfast prendre le petit déjeuner
to have to il faut
have you ...? avez-vous ... ?
headache un mal de tête
I've got a headache j'ai mal à la tête
headteacher le principal
health la santé
helmet un casque
to help (to) aider à
to hesitate hésiter
to hire louer
hole un trou
holiday les vacances
homework les devoirs
homework diary un carnet de correspondance
honest honnête
hope l'espoir
to hope espérer
horse riding l'équitation

it was hot il faisait chaud
house une maison
How long? Combien de temps?
How much do I owe you? Combien je vous dois?
hundreds des centaines

ideal idéal(e)
if I were you à ta place
if not sinon
ill malade
illness, disease une maladie
in common en commun
in order to afin de
in the (sixties) dans les années (soixante)
including y compris
industry l'industrie
infant school la maternelle
information des renseignements
injury une blessure
inside dedans
isolated isolé(e)
it, that ça

jeans un jean
jewellery shop la bijouterie
job le travail, un emploi, un métier
jogging le footing
to joke rigoler
journey un voyage
junction un carrefour

to keep conserver
to kill tuer
king le roi
kiss un baiser
to kiss embrasser

language une langue
to laugh rire
lawn une pelouse
to learn (to) apprendre (à)
to leave a message laisser un message
leisure activities les loisirs
letter box la boîte à lettres
lettuce une laitue
to lick lécher
to lie mentir
life la vie
lift un ascenseur
light (of colour) clair(e)
Do you like it? Ça te plaît?
little by little peu à peu
to live vivre
lively animé(e)

to look for chercher
to lose perdre
love l'amour
'love' (at end of letter) grosses bises
lucky chanceux/chanceuse
to be lucky avoir de la chance
lunch le déjeuner

made of wood en bois
magazine une revue
main road la route principale
make-up le maquillage
to manage to do arriver à faire
mark (at school) la note
mashed potatoes la purée
master le maître
maths les maths
meal le repas
meat la viande
medicine des médicaments
to meet rencontrer
meeting, date le rendez-vous
to miss (a bus, etc.) rater
mixture un mélange
making model aeroplanes l'aéromodélisme
mood l'humeur
more than an hour plus d'une heure
(in the) morning le matin
most la plupart
to move (house) déménager
mushroom un champignon

near to près de
to need avoir besoin de
neighbour le voisin
neither ... nor ... ne ... ni ...
nephew le neveu
new town une ville nouvelle
news (on TV) les actualités
newspaper un journal
next prochain(e)
the next day le lendemain
next to à côté de
nice, kind gentil/gentille
niece la nièce
at night la nuit
night club une boîte (de nuit)
noisy bruyant(e)
none at all ne ... aucun(e)
(in the) north-west le nord-ouest
not far from non loin de
not only ... (but) also non seulement ... (mais) aussi
to notice remarquer
now and then de temps en temps
nowhere nulle part
nuclear waste les déchets nucléaires
nurse une infirmière

of course bien sûr
office le bureau
oil spill la marée noire
okay d'accord
older aîné(e)
only daughter la fille unique
only son le fils unique
open ouvert(e)
opinion un avis
opposite en face de
the opposite le contraire
to order commander
our notre, nos
outside dehors
own (belonging to) propre

package un colis
painter, artist un peintre
painting la peinture
pancake restaurant une crêperie
part of town un quartier
passer-by un passant
patient patient(e)
peach la pêche
petrol l'essence
phone box une cabine téléphonique
phone call un coup de fil
phone card une télécarte
photographer le photographe
physics la physique
place un endroit
player un joueur
to pollute polluer
port le port
portable phone un téléphone portatif
poster une affiche
potato une pomme de terre
price le prix
prize le prix
problem le problème
to protect protéger
proud fier/fière
pupil un(e) élève
purchase un achat
purse un porte-monnaie
to put on mettre

quiet tranquille

R

it rained, it used to rain il pleuvait
to read lire
reading la lecture
I received/got j'ai reçu
to recycle recycler
to refuse (to) refuser (de)
to remain, stay rester

report (school) le bulletin (scolaire)
return (ticket) un aller-retour
revolting dégoûtant(e)
rice le riz
rock climbing l'escalade
room une pièce
roundabout un rond-point

I said j'ai dit
sailing la voile
same même
satisfactory satisfaisant(e)
to save up faire des économies
I saw j'ai vu
I will say je dirai
to be scared avoir peur
to scratch gratter
seafood les fruits de mer
second-hand d'occasion
see you tomorrow à demain
to send envoyer
to have a sense of humour avoir de l'humour
serious grave
several plusieurs
what a shame/pity dommage
to share partager
ship un bateau
shirt une chemise
shoes des chaussures
shooting le tir
shop assistant un vendeur, une vendeuse
shop window la vitrine
to do the shopping faire les courses
shy timide
to be sick vomir
to feel sick avoir mal au cœur
sign un panneau
single (ticket) un aller simple
sixth form (college) le lycée
size (for clothes) la taille
size (for shoes) la pointure
skating le patin, le patinage
skating rink la patinoire
ski slope la piste
skin la peau
skirt une jupe
sky le ciel
slang l'argot
sleep le sommeil
to sleep dormir
I sleep je dors
I'm feeling sleepy j'ai sommeil
slowly doucement
it used to snow il neigeait
so, therefore donc
so much tant (de)
soap (on TV) un feuilleton
sofa le canapé
something useful quelque chose d'utile
sometimes parfois
somewhere quelque part
somewhere else ailleurs

to have a sore throat avoir mal à la gorge
sorry désolé(e)
soup le potage
Spanish l'espagnol
to spend dépenser
spider une araignée
spoon une cuiller
spot un bouton
square (maths) (un) carré
square (town) une place
stairs un escalier
stamp un timbre
star (famous person) une vedette
star (in sky) une étoile
to start, begin (to) commencer (à)
stay un séjour
stepmother la belle-mère
still toujours
stop l'arrêt
storm un orage
stormy orageux, orageuse
straight away tout de suite
stressful stressant(e)
strong fort(e)
student un(e) élève
stupid bête
subject une matière
suburbs la banlieue
to succeed réussir
it doesn't suit me ça ne me va pas
suitcase une valise
in summer en été
sunny ensoleillé(e)
it was sunny il faisait du soleil
sweet doux, douce
sweetcorn le maïs
swimming la natation
to go swimming se baigner

tablet, pill un comprimé
to take (medicine, etc.) prendre
to take (dog) for a walk promener (le chien)
to take off enlever
tea le goûter *(meal)*
to teach enseigner
teacher le professeur
technology la techno(logie)
teddy bear une peluche
television programme une émission (de télévision)
to tell (a story or a joke) raconter
to have a temperature avoir de la fièvre
term le trimestre

test le contrôle
that one celui-là, celle-là
there was il y avait
those ceux-là, celles-là
I thought je croyais
thousands des milliers
till la caisse
for a long time depuis longtemps
timetable (school) un emploi du temps
timetable (train) une horaire
tin une boîte
I took j'ai pris
at the top of en haut de
towards vers
town la ville
in the town centre en centre-ville
town hall la mairie
toy un jouet
traffic jam un embouteillage
traffic lights les feux (de circulation)
to train s'entraîner
to travel voyager
trip, excursion une randonnée
trolley (in a supermarket) un caddie
tropical forest la forêt tropicale
to try (to) essayer (de)
twinned jumelé(e)
twins des jumeaux, des jumelles

ugly laid(e)/moche *(slang)*
to understand comprendre
unemployed person un chômeur
unemployment le chômage
unfortunately malheureusement
unhappiness le malheur
until jusqu'à
to use utiliser
I used to live j'habitais
useful utile
useless nul(le)
usually d'habitude

vegetable un légume
voice la voix

to walk aller à pied
wallet un porte-monnaie

to want to do avoir envie de faire
I wanted j'ai voulu
war la guerre
I was j'ai été
washing (powder) la lessive
to waste gaspiller
waste of time une perte de temps
to watch, look on assister
wave une vague
weather le temps
weather report la météo
weight lifting l'haltérophilie
well-behaved sage
I went away, left je suis parti(e)
I went down, got off/out of je suis descendu(e)
what worries me ce qui m'inquiète
Which one? Lequel/laquelle?
Which ones? Lesquels/lesquelles?
Who's speaking? C'est de la part de qui? *(phone)*
wide large
I will be je serai
I will come je viendrai
I will do je ferai
I will go j'irai
I will have j'aurai
Will that be all? Ça sera tout?
to win gagner
wind le vent
windsurfing la planche à voile
in winter en hiver
to wipe essuyer
without sans
work le travail
to work in a team travailler en équipe
it works ça marche
world le monde
I was worried je m'inquiétais
to worry, become anxious s'inquiéter
worse pire
he would be il serait
he would go il irait
he would have il aurait
he would have to il devrait
I wrote j'ai écrit

year une année
young jeune